DR FRÉDÉRIC DENIS
Préface du Dr Jean-Pierre WILLEM

Compléments alimentaires Mythes et réalités

Informations et conseils d'expert pour bien les comprendre et mieux les choisir

massin

« Deux choses ne s'apprécient bien que quand on ne les a plus : la jeunesse et la santé. »

Proverbe arabe

« Le doute est le commencement de la sagesse. »

Aristote

SOMMAIRE

Présentation

Docteur en cancérologie (Université Paris XI), Frédéric DENIS a travaillé sur les leucémies au sein de l'Institut de la Santé et de la Recherche Médicale (INSERM).

Par la suite, il s'est intéressé aux médecines dites alternatives ainsi qu'à leurs bienfaits.

Il a signé plusieurs articles scientifiques quant à l'intérêt de certains nutriments innovants dans différentes sphères (cognitif, dentaire, fonctionnement hépatique).

Fort de 15 années d'expérience dans le domaine des compléments alimentaires, il anime également des conférences et des formations sur des thématiques alliant la nutrition et la santé.

PRÉFACE

Je connais le Dr Frédéric Denis depuis plusieurs années ; j'assiste à ses conférences. Il parvient à rendre limpide ce qui est difficilement compréhensible. Il place au premier rang, pour la prévention et le traitement de l'ensemble des maladies, un régime alimentaire bien choisi, voire spécifique.

Dans ce livre, j'ai glané des informations précieuses, essentielles et rares. Les ouvrages sur la nutrithérapie et les compléments alimentaires foisonnent, mais on n'y trouve pas notre compte. Il est vrai que la majorité a été rédigée par des non-professionnels.

L'utilisation de produits de santé naturels, en tout genre et sous différentes formes, est devenue un phénomène de société. Il s'agit d'un processus en croissance constante et irréversible. Le recours aux médecines naturelles s'inscrit dans une vraie démarche fondamentale de retour à la nature. Les scandales sanitaires jouent un rôle dans cette prise de conscience, tout comme le contexte de l'industrialisation de la santé et les inquiétudes environnementales.

La quête d'une médication plus écologique facilement accessible (sans ordonnance, disponible dans les magasins d'aliments naturels ou en libre-service dans les pharmacies, etc.) fait que plus de la moitié des personnes en demande de soins ont régulièrement recours à des vitamines, des minéraux, des produits à base de plantes, des suppléments ou autres préparations galéniques pour retrouver ou encore conserver la santé.

Les problèmes de santé concernent les professionnels de ce secteur, bien sûr, mais surtout et d'abord les patients. Ces

derniers sont – fort heureusement – de mieux en mieux informés par leurs lectures, Internet, la participation à des conférences, congrès, salons de la santé, etc. Ceux qui ne savent pas veulent savoir. Ils questionnent, entendent être partie prenante du traitement, discuter des options possibles pour le leur, refusent de suivre le troupeau en prenant des traitements identiques pour tous, et cherchent des soins personnalisés.
Il est ainsi devenu urgent d'informer le plus largement et le plus objectivement possible sur les effets indésirables ou les interactions des médicaments et des produits de santé naturels. Tous les professionnels dédiés (médecins, pharmaciens, nutritionnistes, diététiciens et autres thérapeutes) doivent être bien informés pour conseiller judicieusement leurs clients, et les distributeurs de produits naturels être attentifs à cette problématique.

Cette situation est nouvelle par rapport à l'époque qu'a connue le corps médical et universitaire il y a seulement quelques vingtaines d'années. L'être humain non médicalisé est aujourd'hui une exception. La science médicale « guérit » de plus en plus de maladies... pourtant, il n'y a jamais eu autant de malades !
La planète Terre est devenue un gigantesque hôpital ! Les infections nosocomiales, les gastro-entérites, les maladies infectieuses et l'ensemble des remèdes iatrogènes préoccupent les soignants et angoissent les soignés.

En contrepartie, la population devient de plus en plus proactive, demande un meilleur accès aux produits de santé naturels, comprend et adhère au besoin d'une plus grande responsabilité personnelle vis-à-vis de sa santé.

Dans ces conditions, il est important de posséder les connaissances permettant de bien choisir ses produits naturels, d'offrir aux consommateurs le meilleur service possible, en faisant la part entre les spéculations, les probabilités et les cas documentés d'interactions médicamenteuses.

Il ne faut pas oublier non plus que 40 à 70 % des médicaments proviennent de produits naturels.

Il convient seulement de s'assurer que les consommateurs n'utilisent pas ces derniers en même temps que des médicaments à l'action contraire (antagoniste) ou identique (surdosage possible de certains principes actifs).

En parcourant le livre du Dr Frédéric Denis, vous pouvez profiter de sa vaste connaissance des produits naturels. L'ouvrage est divisé en quatre parties, qui s'enchaînent harmonieusement. Les argumentations, les petits conseils, les mises en garde contre les écueils abondent. Vous pouvez faire votre marché (aux bonnes idées).

Cet excellent ouvrage d'information est le fruit de plusieurs années d'investigation sur les produits naturels. Il est un incontournable pour toutes les personnes concernées (professionnels inclus) par la santé et par les très nombreuses mises en garde dans l'utilisation de ces compléments alimentaires.

Facile à lire et surtout simple à mettre en pratique, c'est une mine de conseils pratiques aussi bien pour les malades que pour les thérapeutes.

Je vais le conseiller aux élèves de ma faculté libre de médecines naturelles (FLMNE). Ils gagneront un temps appréciable dans leurs études.

Dr Jean-Pierre WILLEM

LISTE DES ABRÉVIATIONS

ANR : apport nutritionnel de référence
AMM : autorisation de mise sur le marché
ANSES : Agence nationale de sécurité sanitaire de l'alimentation, de l'environnement et du travail
ANSM : Agence nationale de sécurité du médicament et des produits de santé
ATP : adénosine triphosphate
AVK : anti-vitamine K
CITES : Convention on International Trade of Endangered Species
CoQ10 : coenzyme Q10
CRO : Contract Research Organization
CytP450 : cytochromes de la famille P450
DDM : date de durabilité minimale
DGCCRF : Direction générale de la concurrence, de la consommation et de la répression des fraudes
DHA : docosahexaenoic acid (acide docosahexaénoïque)
DJM : dose journalière maximale
DLC : date limite de consommation
DLUO : date limite d'utilisation optimale
EFSA : European Food Safety Authority
EMA : European Medicines Agency
EPA : eicosapentaenoic acid (acide eicosapentaénoïque)
GAG : glycoaminoglycane
GMP : Good Manufacturing Practices
GSH : glutathion réduit
GSSG : glutathion oxydé
HACCP : Hazard Analysis Critical Control Point
INCO : information du consommateur
INR : International Normalized Ratio
INSERM : Institut national de la santé et de la recherche médicale
ISRS : inhibiteurs sélectifs de la recapture de la sérotonine
NAC : N-acetylcystéine
NOAEL : Non Observed Adverse Effect Level
OGM : organisme génétiquement modifié
OMS : Organisation mondiale de la santé
PA : pression artérielle
PhE : pharmacopée européenne
PNNS : Programme national nutrition santé
PSNC : pratiques de soins dites non conventionnelles
R&D : recherche & développement
SYNADIET : Syndicat national des compléments alimentaires
UE : Union européenne
UI : unité internationale
USDA : United States Department of Agriculture

INTRODUCTION

"MIEUX VAUT PRÉVENIR QUE GUÉRIR"

Dans le préambule de l'Organisation mondiale de la santé (OMS), il est indiqué que *« La Santé est un état de complet bien-être physique, mental et social et ne consiste pas seulement en une absence de maladie ou d'infirmité »*.

Sensibiliser et éduquer les gens à ce qu'est la santé, ainsi qu'aux moyens de mieux la contrôler, sont des démarches essentielles aux yeux des praticiens sensibilisés aux médecines naturelles.

La prévention consiste notamment à :
- Faire attention à son alimentation afin qu'elle soit la plus diversifiée et la plus équilibrée possible ;
- Avoir une bonne hygiène de vie (éviter l'alcool et le tabac, pratiquer une activité physique) ;
- Prendre du temps pour soi afin de limiter les situations de stress ;
- Ne pas attendre d'avoir un problème avéré avant de consulter (intérêt d'un suivi régulier et des dépistages précoces, recours à des praticiens de médecines douces) ;
- Éviter le risque de rechute ou de chronicité d'une problématique de santé (réadaptation effective) ;

Par ces mesures, chacun est alors capable d'avoir un plus grand contrôle sur sa santé et peut diminuer les facteurs de risque associés à certaines problématiques.
Ce qui, bien entendu, est toujours plus facile à dire qu'à mettre en place.

Pour ce qui touche à une alimentation équilibrée, par exemple, les recommandations du Programme national nutrition santé (PNNS) insistent sur le fameux « 5 fruits et légumes par jour »[1]. Sur le papier, il est évident que les régimes alimentaires les plus réputés pour limiter les facteurs de risque pour la santé et rester en pleine forme à des âges avancés sont ceux qui font appel à peu de viande et de

Pourcentage de la population belge présentant un risque de carences nutritionnelles

	Femmes	Hommes
Calcium	85 %	73 %
Fer	96 %	36 %
Vitamine A	14 - 31 %	22 - 31 %
Vitamine B1	81 %	81 %
Vitamine B2	62 %	63 %
Vitamine B6	77 %	80 %
Acide Folique (Vitamine B9)	84 %	63 %
Vitamine C	78 %	73 %
Vitamine D	77 %	95 %

Source : enquête nationale de consommation alimentaire 2014-2015. Institut scientifique de santé publique (fsc.wiv-isp.be)

produits laitiers, beaucoup de légumes et de légumineuses, des graisses insaturées ainsi que des fruits (diète méditerranéenne, régime Okinawa...).

En pratique, il est difficile de s'y tenir quand vous avez 4 personnes à nourrir à chaque repas et que vous ne faites les courses qu'une fois par semaine : cela représente 140 fruits et légumes à acheter d'un coup... Il n'est donc pas étonnant que la consommation de ces aliments, sources de vitamines, de minéraux et de nutriments essentiels, ne soit pas optimale dans nos sociétés modernes.

Qui plus est, la qualité de notre alimentation a bien évolué depuis l'époque de nos grands-parents. Avec l'agriculture intensive, les concentrations en nutriments des fruits et légumes ont nettement diminué à cause du lessivage des sols, de la cueillette précoce des végétaux et des processus de transformation et de conservation des aliments. Sur cet aspect, je vous invite à lire ou relire l'excellent ouvrage du Dr Jean Seignalet *L'Alimentation ou la troisième médecine* (Éditions du Rocher).

Nous ne sommes donc pas à l'abri de carences nutritionnelles. Ces dernières peuvent toucher davantage des groupes spécifiques ayant des besoins accrus ou des déficits d'apport (seniors, femmes enceintes, végétariens...) et elles contribuent au développement ainsi qu'à l'entretien de problématiques de santé.

Les enquêtes nationales, qui évaluent les apports alimentaires des populations en Europe, mettent d'ailleurs bien en évidence ce risque de carences nutritionnelles (cf. tableau ci-dessus).

Les compléments alimentaires s'inscrivent dans ce modèle du « mieux vaut prévenir que guérir ». Ils peuvent aider les personnes qui ne parviennent pas à suivre un régime alimentaire optimal à couvrir leurs besoins nutritionnels. Depuis quelques années, les Français sont de plus en plus nombreux à en consommer : la prise de compléments alimentaires a doublé entre 2006 et 2014, tant chez les adultes que chez les enfants.

Devant cette demande de plus en plus importante, l'offre s'est également considérablement étoffée. On compte aujourd'hui plus de 450 acteurs sur le marché des compléments alimentaires, alors qu'ils n'étaient que 310 en 2010. D'un point de vue économique, ce marché représente désormais un volume de 2 milliards d'euros, là où en 2010, ce secteur ne « pesait » encore que 950 millions d'euros.

Comment s'y retrouver dans cette offre pléthorique ?

Comment une personne soucieuse de préserver sa santé peut-elle être sûre de faire le bon choix ?

Sur quels critères s'appuyer pour distinguer un complément de haute qualité d'une formulation moyenne dont l'intérêt ne sera pas forcément justifié ?

L'objectif de ce livre est de vous donner des clés de compréhension afin de :
- Mieux appréhender ce que vous pouvez attendre d'un complément alimentaire ;
- En savoir plus sur la façon dont ils sont conçus et fabriqués ;
- Éviter les écueils liés à une communication avant tout marketing de certains acteurs ;
- Combattre certaines idées reçues sur les compléments alimentaires.

Que vous soyez néophyte ou adepte de longue date de ce type de produits naturels, les informations et conseils que vous trouverez dans ce livre vous aideront à faire le tri et à choisir ce qu'il y a de mieux pour votre bien-être.

Devenez acteur et actrice et non simplement consommateur et consommatrice vis-à-vis de votre santé.

UN COMPLÉMENT ALIMENTAIRE, QU'EST-CE QUE C'EST?

Définition

Selon le texte fondateur de la Directive 2002/46/CE du Parlement européen et du Conseil du 10 juin 2002 relative aux compléments alimentaires, ces derniers sont des « *denrées alimentaires dont le but est de compléter le régime alimentaire normal et qui constituent une source concentrée de nutriments ou d'autres substances ayant un effet nutritionnel ou physiologique, seuls ou combinés.* »

Ce sont donc avant tout une classe particulière d'aliments qui se distinguent du reste par le fait qu'ils apportent notamment une dose quantifiable, suffisante et reproductible de nutriments (vitamines, minéraux, lipides, protéines) et/ou d'autres ingrédients (extraits de plantes, substance chimiquement définie comme le coenzyme Q10, ingrédient traditionnel comme la propolis, etc.). À ce titre, ils complètent l'alimentation normale et ne se substituent pas à celle-ci.

Les compléments alimentaires se prennent par voie orale et peuvent se présenter sous différentes formes galéniques : gélules, sachets, sticks, comprimés, pastilles à sucer, formes liquides ou poudre à diluer. Cette similarité de présentation avec les médicaments ne doit cependant pas induire le consommateur en erreur. En effet, les compléments alimentaires n'exercent pas un effet pharmacologique : ils ne remplacent pas un médicament prescrit par un médecin et n'ont pas vocation à guérir une maladie.

À défaut, ils seraient requalifiés de médicaments par fonction, avec tout ce que cela implique de risques (réglementaire, sécurité, objectivation de l'efficacité...).

Quelques chiffres

Selon le Syndicat national des compléments alimentaires (SYNADIET), ce marché représentait en 2020 un volume de 2,138 milliards d'euros[2].

Plus d'un Français sur deux consomme des compléments alimentaires. Il s'agit essentiellement de consommatrices (57 % de femmes), plutôt jeunes (45 ans d'âge moyen) et actives (70 %)[3].

Pour une majorité des consommateurs, ces compléments servent à combler les carences alimentaires (56 %), à se maintenir en bonne santé (48 %), à améliorer certaines performances (35 %) et à soigner les petits maux et inconforts du quotidien (33 %).

Avec la crise sanitaire, le comportement des Français a quelque peu évolué[4]. Pour certains, le fait d'être confinés leur a permis de manger plus sainement (63 %) et de faire plus attention à leur santé (62 %). Il faut dire que les messages anxiogènes vus et entendus à longueur de journée ne sont pas étrangers à ce changement de mentalité.

Généralement, les consommateurs de compléments alimentaires en prennent plusieurs fois par an, sous forme de cures saisonnières (aux changements de saison) ou à certaines périodes de l'année (examens, reprise du sport, en vue de l'été ou encore en cas de stress ou de fatigue). 6 % des Français en consomment même en continu, tout au long de l'année !

La réglementation

"Dura lex, sed lex" (La loi est dure, mais c'est la loi)

Vous ne pouvez espérer comprendre les compléments alimentaires que si vous maîtrisez le b.a.-ba de la réglementation qui s'applique à cette catégorie particulière d'aliments.

Aux yeux de la réglementation, un complément alimentaire est différent d'un médicament. La situation est néanmoins complexe du point de vue du consommateur, surtout pour certaines plantes.

Prenez le gingembre, par exemple. Il peut être acheté en tant qu'aliment (épice), entrer dans la composition de nombreux compléments alimentaires à visée digestive en tant qu'ingrédient actif, être formulé dans des produits cosmétiques et même être disponible sous forme de médicaments. N'oublions pas d'ailleurs que 75 % des médicaments sont issus du monde végétal !

Toutes ces catégories dépendent de règles différentes qu'il convient de détailler un peu afin de mieux comprendre leurs subtilités.

Tout d'abord, revenons à la définition du complément alimentaire citée auparavant, à savoir qu'il s'agit d'une source concentrée de nutriments ou de substances d'intérêt. Ces derniers peuvent être de types différents.

- Des vitamines et minéraux.
- Des substances à but nutritionnel ou physiologique (lipides, protéines, substances chimiquement bien définies...).
- Des champignons.
- Des plantes et leurs extraits.

- Des huiles essentielles.
- Des excipients et additifs technologiques, nécessaires à la fabrication des compléments.
- Des « ingrédients nouveaux » (Novel Food) qui ont fait l'objet d'une autorisation spécifique au niveau européen.

Une « source concentrée » implique obligatoirement que le dosage en actifs de cette source puisse être vérifié. En effet, l'un des avantages du complément alimentaire est d'apporter une quantité définie et invariable d'un ou plusieurs nutriments, tout en respectant certaines limites de sécurité. D'où les notions importantes d'apport nutritionnel de référence (ANR, AR ou parfois VNR) et de dose journalière maximale (DJM).

Les AR sont déterminés par les autorités compétentes pour chaque nutriment (vitamines et minéraux, essentiellement), à partir notamment des enquêtes alimentaires réalisées auprès de la population générale. Celles-ci permettent de déterminer les apports alimentaires selon les classes d'âge et d'estimer la dose nécessaire pour couvrir les besoins de 97,5 % de la population considérée[5]. Le dosage d'un nutriment dans un complément alimentaire sera toujours exprimé par rapport à son AR correspondant, souvent sous la forme d'un pourcentage.

Au-delà des AR, il y a la DJM qui est établie, pour chaque nutriment, à partir des données d'études ayant démontré à quelle dose minimale de bascule un effet néfaste peut survenir (elle est appelée aussi « dose sans effet indésirable » ou NOAEL en anglais). La DJM correspond à cette dose seuil divisée par un facteur de sécurité de 10 à 100[6]. Les autorités considèrent que la consommation quotidienne d'une substance à cette dose seuil pendant toute la durée d'une vie ne présentera pas de risque appréciable pour la santé[7].

PEUT-ON UTILISER N'IMPORTE QUEL NUTRIMENT POUR FABRIQUER UN COMPLÉMENT ALIMENTAIRE ?

La réponse est bien évidemment non.
D'un point de vue réglementaire, il existe une liste exhaustive européenne de 13 vitamines et 17 minéraux qui peuvent être utilisés dans la fabrication des compléments alimentaires. Celle-ci précise également pour chaque nutriment la forme d'apport sous laquelle il peut être utilisé[8]. D'autres textes de lois donnent aussi les AR de chaque nutriment selon le public visé ainsi que leur DJM. En France, c'est l'arrêté du 9 mai 2006[9] qui fixe les doses limites, car ces DJM varient d'un pays à l'autre au sein de l'Union européenne !

Annexe II

SUBSTANCES VITAMINIQUES ET MINÉRALES POUVANT ÊTRE UTILISÉES POUR LA FABRICATION DE COMPLÉMENTS ALIMENTAIRES

A. - Substances vitaminiques

1. Vitamine A

a) Rétinol.
b) Acétate de rétinol.
c) Palmitate de rétinol.
d) Bêta-carotène.

2. Vitamine D

a) Cholécalciférol.
b) Ergocalciférol.

3. Vitamine E

a) D-alpha-tocophérol.
b) DL-alpha-tocophérol.
c) Acétate de D-alpha-tocophérol.
d) Acétate de DL-alpha-tocophérol.
e) Succinate acide de D-alpha-tocophérol.

Source : copie d'écran de l'annexe II de l'arrêté du 9 mai 2006

J'ai été encore interrogé dernièrement par un praticien de santé ayant lu sur Internet les bienfaits du L-Thréonate de magnésium et qui me demandait pourquoi on ne trouvait pas facilement cette forme de nutriment en France. Après vérification dans la fameuse liste positive, il se trouve que cette forme d'apport n'est pas mentionnée : sa sécurité d'emploi en Europe n'ayant pas été évaluée, elle est par conséquent interdite. D'ailleurs, elle a récemment fait l'objet d'une alerte européenne[10].

Pour chaque type d'ingrédient, il existe des textes réglementaires qui explicitent clairement ce qui est autorisé.

- Pour les plantes, il s'agit de l'arrêté du 24 juin 2014[11]. Ce texte reprend la liste des spécimens autorisés pour une utilisation dans les compléments alimentaires. Il précise quelle(s) partie(s) de la plante peuvent être consommées, s'il existe des précautions d'emploi et, le cas échéant pour les industriels, s'il y a des critères à surveiller pour assurer une sécurité optimale quant à l'utilisation de la plante ou de son extrait (par exemple, la teneur à ne pas dépasser pour un composé spécifique).
- Pour les substances à but nutritionnel ou physiologique, c'est l'arrêté du 26 septembre 2016[12] qui organise cette liste. D'éventuelles précautions d'emploi y figurent également.
- Les « nouveaux ingrédients » correspondent à des produits alimentaires dont la consommation a été négligeable dans l'Union européenne (UE) avant le 15 mai 1997. De même, si la technologie

utilisée pour fabriquer des ingrédients traditionnels modifie substantiellement leur structure (comme le recours aux nanotechnologies), l'ingrédient obtenu est alors considéré comme nouveau et sa sécurité d'emploi doit être évaluée. C'est le règlement UE n° 2015/2283 qui définit ces nouveaux aliments[13].

- Une huile essentielle est un concentré de substances chimiques issues d'une matière première végétale. Celles-ci ont des propriétés physiologiques qui justifient leur utilisation dans les compléments alimentaires. Certaines de ses substances peuvent avoir néanmoins des effets indésirables dont il convient de minimiser les risques pour le consommateur. Des listes ont été établies tant par la Direction générale de la concurrence, de la consommation et de la répression des fraudes (DGCCRF)[14] que par SYNADIET[15] pour aider les industriels à formuler des produits sûrs. Ces différentes listes évoluent en permanence, mais sont une bonne source de renseignements.

Pour plus d'informations sur l'univers des huiles essentielles, je ne peux que vous conseiller les ouvrages de référence écrits par le Dr Jean-Pierre Willem, notamment *Huiles essentielles : médecine d'avenir* (Éditions du Dauphin).

- Pour les champignons, un projet de décret devait voir le jour, sur un modèle similaire à celui des plantes. Il devait lister les champignons admis dans les compléments alimentaires ainsi que des recommandations sanitaires accompagnant leur usage. L'administration travaille toujours sur ce document depuis 2015...

COMMENT SE DÉROULE LA COMMERCIALISATION ?

La crise sanitaire liée à la Covid-19 a permis au plus grand nombre de comprendre comment se déroulait la commercialisation d'un médicament. Celui-ci a besoin d'une autorisation de mise sur le marché (la fameuse AMM). Cette autorisation est délivrée par une autorité compétente, généralement l'Agence nationale de sécurité du médicament et des produits de santé (ANSM) pour la France ou l'European Medicines Agency (EMA) pour l'Europe. Cette autorité évalue la sécurité d'emploi, l'efficacité et la qualité du futur médicament. Elle assure également la surveillance des événements indésirables liés à leur utilisation.

Contrairement au médicament, le complément alimentaire ne nécessite qu'une simple déclaration de mise sur le marché auprès de la DGCCRF. Cette déclaration, régie par le décret du 26 mars 2006[16], implique deux régimes distincts de déclaration, selon le type d'ingrédient utilisé.

- Si les ingrédients sont d'usage traditionnels et qu'ils sont autorisés par les différents textes de lois en France : une simple déclaration donnant la liste de ceux contenus dans le nouveau produit ainsi qu'un modèle d'étiquetage suffit, au moment même de la commercialisation.
- Si les ingrédients ne sont pas autorisés par les textes français, mais qu'ils sont conformes à la réglementation d'un autre pays de l'UE, la déclaration doit apporter, en plus de l'étiquetage, la preuve de la conformité des ingrédients à la législation de l'État membre en question (principe de reconnaissance mutuelle). Cette déclaration doit alors être réalisée deux mois avant la commercialisation du produit, ce qui correspond au délai d'une objection éventuelle de la part de la DGCCRF.

Certains acteurs du marché des compléments alimentaires utilisent la réglementation à leur avantage, en passant par un État membre de l'UE dont la législation est plus souple que celle de la France pour introduire sur le marché des ingrédients au statut parfois « délicat ».

Depuis avril 2016, toutes ces démarches sont réalisées par les industriels, via le portail TéléIcare. Outre le fait de centraliser et faciliter les demandes, l'avantage de ces télédéclarations est de pouvoir fournir au consommateur la possibilité de rechercher un complément alimentaire et de vérifier si celui-ci a été dûment déclaré auprès de la DGCCRF[17].

Le saviez-vous ?

La DGCCRF enregistre environ 1000 demandes de déclaration de compléments alimentaires par mois. À la date du 4 octobre 2021, 58 558 compléments alimentaires étaient déclarés dans TéléIcare. La consultation de cette base de données est un moyen simple de faire un premier tri quant au respect de l'obligation de déclaration par un acteur proposant ses compléments alimentaires.

PEUT-ON TOUT DIRE SUR UN COMPLÉMENT ALIMENTAIRE ?

On trouve facilement sur Internet des avis élogieux de consommateurs sur un complément alimentaire, avis qui ne se retrouvent pas sur les documents (étiquette, page produit Internet, catalogue) mis à disposition par le laboratoire qui le vend. Pourtant, il s'agit d'un gage de sérieux du laboratoire car :

- Rappelez-vous tout d'abord qu'au regard des autorités, la présentation ainsi que la publicité d'un complément alimentaire ne doivent pas attribuer à ces produits des propriétés de prévention, de traitement ou de guérison d'une maladie humaine, ni même évoquer ces propriétés.
- De plus, les communications à caractère commercial ne doivent pas induire en erreur le consommateur en vantant un produit idyllique. Celui-ci doit pouvoir faire un choix avisé et non biaisé.

Différents règlements régissent donc la communication que les laboratoires effectuent auprès des consommateurs à propos des compléments alimentaires. Ces textes définissent également les mentions obligatoires à faire figurer sur l'étiquetage d'un produit à commercialiser.

Il convient d'identifier ici les différents types d'allégations.

Les allégations nutritionnelles

Elles suggèrent ou impliquent que le complément alimentaire possède des propriétés nutritionnelles spécifiques, signalées par les mentions de type « source de... riche en... ne contient pas de... ».

Le nutriment en question doit être en quantité significative pour que l'allégation puisse être utilisée. Ainsi, si un produit apporte du calcium à hauteur de plus de 15 % des AR de ce nutriment (800 mg pour le calcium) par portion journalière, l'étiquetage pourra faire mention de « source de calcium ». Si la teneur dépasse 30 % de ces AR (soit 240 mg) par portion journalière, le produit sera considéré comme « riche en calcium ».

Les allégations de santé

Elles sont définies par « *tout message, représentation, image, symbole ou élément graphique qui affirme, suggère ou implique qu'une denrée alimentaire possède des caractéristiques particulières* »[18].

Ce type d'allégation doit reposer sur des preuves scientifiques généralement admises et être justifié par de telles preuves. Voici un exemple concret d'une allégation de santé : « Le calcium est nécessaire au maintien d'une ossature normale ».

Une allégation de santé ne doit pas faire explicitement référence à une maladie. Ainsi, la phrase « Le calcium aide à lutter contre l'ostéoporose » est une allégation de santé interdite, susceptible d'entraîner une requalification du complément alimentaire en médicament par présentation. Même si cette formulation est beaucoup plus parlante pour le consommateur, elle n'est pas correcte d'un point de vue scientifique, ni réglementaire.

Il existe une liste des allégations de santé autorisées par la Commission européenne. Seules celles qui y figurent peuvent être utilisées, sans possibilité d'adapter le texte.

Les allégations de santé autorisées sont celles qui concernent les substances actives présentes dans une formule (vitamines et minéraux) et en aucun cas le produit dans son ensemble. Ainsi, une communication fidèle à la réglementation n'indiquera jamais : « Le complément X contribue au maintien d'une ossature normale », mais plutôt « Le calcium contenu dans le produit X contribue au maintien d'une ossature normale ». Et cela est valable uniquement si le complément en question est bien source de calcium (15 % des AR) ou s'il contient le nutriment bénéficiant de l'allégation autorisée à une quantité suffisante ayant démontré un effet.

Les noms de produits sont également concernés par la réglementation sur les allégations de santé. Ainsi, si l'un d'eux se nomme par exemple « Ostéorescue », il sera considéré comme porteur d'une allégation de santé non autorisée et devra donc être rebaptisé, si son exploitant souhaite éviter les ennuis administratifs.

La grande difficulté avec les allégations de santé réside dans le fait que les niveaux de preuve scientifique demandée sont ceux classiquement utilisés par l'industrie pharmaceutique (les fameuses études cliniques en double aveugle contre placebo, avec des cohortes de sujets assez importantes). Trop peu de laboratoires de compléments alimentaires peuvent se permettre financièrement de conduire de telles études, qui coûtent au bas mot plusieurs centaines de milliers d'euros.

Comme évoqué précédemment, le complément alimentaire n'a pas vocation à s'adresser, aux yeux du législateur, à des personnes ayant des problèmes de santé. Les études cliniques qui pourraient éventuellement permettre d'obtenir une allégation de santé doivent donc être conduites sur des populations dites « saines ». Ce qui reviendrait à tester l'efficacité d'un patch antitabac sur une population de non-fumeurs...

Enfin, certains termes qui permettaient de décrire une catégorie d'ingrédients ont été considérés par les autorités comme

Le saviez-vous ?

Sur les 44000 demandes d'allégations génériques reposant sur des preuves établies reçues par les instances européennes, seules 229 ont été autorisées (principalement pour les vitamines et les minéraux[19]). 1548 demandes concernant des plantes restent non évaluées à ce jour, notamment pour cause de désaccord sur les critères d'évaluation.

des allégations de santé en soi : les probiotiques (qui favorisent la vie), les antioxydants (qui luttent contre l'oxydation).

En France, le terme « probiotiques » a ainsi été évincé il y a quelques années au profit de celui de « ferments lactiques » ou « bactéries lactiques ».
En revanche, en Italie, il est toujours possible de trouver des produits estampillés « probiotiques ».

Les allégations interdites

Elles correspondent à des mentions qui laissent à penser que ne pas consommer un complément alimentaire peut être préjudiciable à la santé (« Si vous ne consommez pas le produit X, vous pourriez le regretter ») ou qui font référence au rythme ou à l'importance de la perte de poids (« Avec le produit Y, j'ai perdu 5 kg en une semaine »).
Conçues au départ pour éviter que le consommateur ne soit abusé par des discours mensongers (intention plus que louable), les allégations de santé ont eu au final plusieurs effets négatifs :
- En matière de communication, elles ont nivelé tout le marché des ingrédients vers le bas en restreignant les possibilités de communiquer au moyen des seules allégations autorisées. À partir du moment où plusieurs compléments alimentaires contiennent des actifs similaires, ils peuvent porter les mêmes allégations même si leurs sphères d'action sont éloignées. De plus, certains fabricants sont obligés d'incorporer dans leurs formules certains nutriments bénéficiant d'une allégation autorisée pour pouvoir justifier d'un effet sur l'étiquette, quand bien même l'activité du complément dépendrait d'un autre actif de la formule dépourvu, lui, d'allégations.
- Elles ont apporté une certaine confusion dans l'esprit du consommateur. En effet, le phrasé de ces allégations est volontairement neutre, voire parfois confus, vis-à-

vis d'éventuels effets, ce qui n'est pas de nature à rassurer ou mieux informer les consommateurs.

De nombreux consommateurs ne comprennent pas le sens d'allégations telles que : « La vitamine C contribue à la formation normale de collagène pour assurer la fonction normale de la peau » ?

Et je vous passe les allégations dignes de Monsieur de La Palice et pourtant véridiques, de type : « L'eau contribue au maintien de la régulation normale de la température du corps ».

Comment déchiffrer l'étiquette ?

L'étiquetage d'un complément alimentaire est nécessaire pour informer le plus fidèlement et le plus loyalement possible le consommateur sur le produit qu'il s'apprête à acheter (et à consommer). Là encore, un texte de loi spécifique se charge de fixer les règles s'appliquant à l'étiquetage : vous avez peut-être entendu parler du règlement INCO (règlement n° 1169/2011)[20] ?

Il ne faut surtout pas négliger la lecture et l'interprétation des éléments qui y figurent si vous voulez éviter certains écueils.

Prenons l'exemple d'un étiquetage modèle, conforme à la réglementation. Les mentions obligatoires qui doivent figurer sur un complément alimentaire sont entourées en vert.

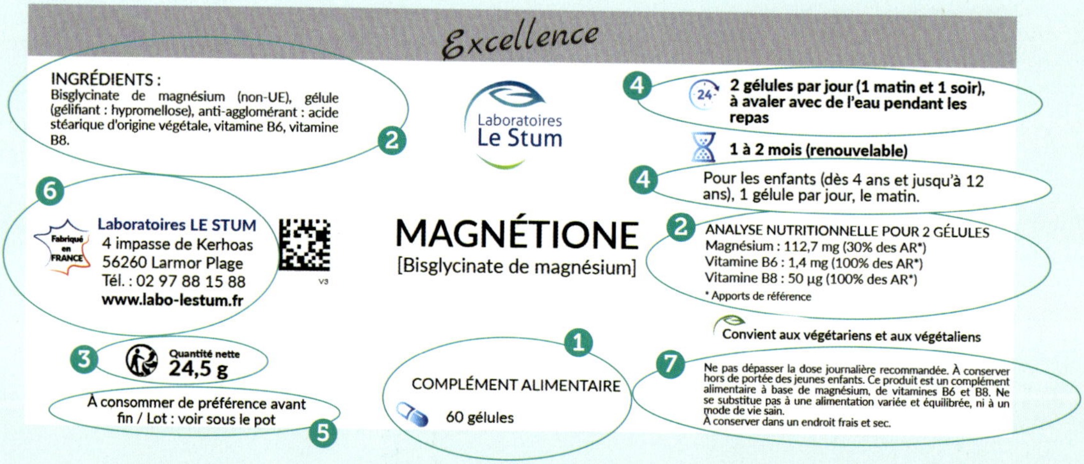

À quoi correspondent les mentions obligatoires ? Décryptage.

1 La dénomination de vente (complément alimentaire).

Dans certains cas précis, cette dénomination doit être complétée (complément alimentaire avec édulcorant(s), complément alimentaire surgelé...).

2 La composition.

Il s'agit de la liste des ingrédients par ordre pondéral décroissant. C'est un bon moyen d'identifier rapidement si le complément contient de grandes quantités d'actifs ou si les excipients inactifs sont majoritaires dans la formule. Ici, l'ingrédient principal est le magnésium, ce qui est positif. Vient ensuite la gélule végétale qui, par son poids variant de 75 à 100 mg, représente souvent le quart du total des ingrédients. Elle arrive donc fréquemment parmi les premiers ingrédients des compléments alimentaires utilisant cette forme galénique.

Dans cette composition, les additifs/excipients sont indiqués avec leur rôle technologique. Ici, l'acide stéarique végétal est utilisé pour favoriser l'écoulement des ingrédients dans les tubes de la géluleuse et empêcher le colmatage lors du remplissage des gélules. Un additif est souvent nécessaire à ce stade pour mener à bien des productions (reproductibilité du remplissage) et surtout pour éviter la casse d'une machine. S'il y a des allergènes dans le produit, ils doivent apparaître distinctement et clairement. On utilise généralement un effet de style (souligné, gras, italique) pour les distinguer du reste des ingrédients dans la composition. Si certains ingrédients se présentent sous la forme de nanoparticules, la mention [nano] devra leur être apposée afin que le consommateur en ait connaissance, car cela peut conditionner son choix. À l'heure actuelle, de nombreux débats scientifiques ont lieu à propos de l'innocuité de ces formes nanoparticulaires dans l'alimentation[21].

L'analyse nutritionnelle.
La quantité des ingrédients actifs est également indiquée, rapportée à la dose journalière maximale supposée consommée. Ainsi, pour la mention « de 2 à 4 gélules par jour », la quantité des actifs indiquée correspondra à ce qu'apportent 4 gélules. Les vitamines et minéraux sont exprimés en pourcentage des AR correspondant. Ici, ce complément apporte 30 % des AR en magnésium et 100 % des AR en vitamines B6 et B8. Cela permettra d'utiliser dans la communication du produit les allégations de santé autorisées pour ces trois ingrédients, notamment pour les indications de fatigue, fonctions nerveuses et musculaires.

❸ **La quantité nette** du produit.

❹ **Les conseils d'utilisation** du produit pour une prise quotidienne aisée.
Certains ingrédients sont parfois mieux assimilés ou mieux tolérés lorsqu'ils sont pris à des moments précis de la journée (pendant ou en dehors des repas, par exemple) ou s'ils nécessitent une préparation particulière (quantité à diluer dans de l'eau).

L'indication de certaines catégories de personnes (enfants, femmes enceintes...) pour lesquelles il peut être nécessaire d'adapter le dosage.

❺ **Le numéro de lot et la DDM ou DLC.**
Le numéro de lot permet d'assurer la traçabilité d'un produit et, en cas de problème, de remonter à toutes les étapes de sa fabrication ainsi qu'aux documents concernant les ingrédients utilisés.
Les compléments alimentaires étant généralement des produits secs, ils sont moins sensibles au risque microbiologique. Ainsi, la mention la plus courante sur un complément alimentaire est la date de durabilité minimale (DDM). Elle donne au consommateur une indication quant à la date jusqu'à laquelle le produit conserve toutes ses qualités (goût, texture, apports nutritionnels...). Les produits dont la DDM est dépassée peuvent être consommés sans risque, sous réserve que l'emballage soit intact[22]. Pour des produits frais, on parle plutôt de date limite de consommation (DLC), au-delà de laquelle il faut s'abstenir de consommer le produit (risque de prolifération bactérienne ou de détérioration importante de la denrée, conduisant à un risque pour la santé). En l'occurrence, il s'agit d'une date limite impérative.

❻ **L'adresse du responsable de la mise sur le marché** du complément alimentaire.
Celui-ci doit impérativement être établi dans l'Union européenne.
En cas de souci, cela permet de le contacter pour lui demander des informations complémentaires sur le produit. Le consommateur peut également lui poser ses questions sur le complément alimentaire qu'il envisage d'acheter.

❼ **Les autres mentions obligatoires** liées au statut particulier du complément alimentaire et que nous avons vu précédemment.
En effet, le complément alimentaire ne remplace pas un régime alimentaire équilibré et son utilisation est encadrée pour certains types de population. La réglementation impose donc des mentions précises qui rappellent ce statut entre aliment classique et médicament.
Il est obligatoire de mentionner ici la nature des ingrédients utilisés dans le produit (complément alimentaire à base de vitamines/minéraux/plantes/substances à visée physiologique...).

D'autres éléments peuvent être portés sur l'étiquette d'un complément alimentaire, mais elles ne sont pas obligatoires.

- Un nom de marque, respectant la réglementation sur les allégations de santé ;
- Des mentions facultatives, encadrées par des notes de la DGCCRF (« naturel », « 100 % nature ») ou non réglementées (« Clean Label », « Sans additifs »...) ;
- D'éventuelles allégations de santé, pour peu qu'elles soient autorisées dans le registre communautaire et qu'elles soient justifiées (notamment par l'apport via le produit de la quantité requise d'un ingrédient telle qu'elle est mentionnée dans l'allégation autorisée) ;
- Un logo ou un texte indiquant la provenance du produit (le fameux « Fabriqué en France »).

Attention, selon les critères de la réglementation, les ingrédients doivent avoir la même origine que celle du produit ! À défaut, il convient de mentionner une origine Europe (UE) ou non-UE (le reste du monde), afin que le consommateur ne soit pas trompé sur la provenance réelle des ingrédients. En effet, il n'est pas rare que certains compléments soient fabriqués en France, mais ne contiennent que des ingrédients d'origine Chine. En omettant la provenance des ingrédients, l'industriel ne donne pas une information loyale à son client.

Le saviez-vous ?

C'est le Code des douanes qui fixe les critères pour pouvoir prétendre à la mention « Fabriqué en France ». Le complément alimentaire doit avoir subi une transformation substantielle dans l'Hexagone pour pouvoir bénéficier de ce marquage. Un simple conditionnement en France de gélules fabriquées dans un autre pays de l'UE ne suffit pas à en faire un produit français[23].

Il est à noter que les produits bio dépendent d'autres règles liées à la certification biologique.

N'hésitez pas à lire en détail la liste des ingrédients (la mention de l'origine suit normalement l'ingrédient, sauf si celui-ci est d'origine France – absence de mention). Renseignez-vous également auprès des différents laboratoires, ils doivent connaître la provenance de leurs ingrédients !

Comment ces produits sont-ils développés ?

L'observation de la réglementation est un passage obligé avant d'envisager le développement d'un nouveau complément alimentaire.

Combien de fois je me suis enflammé pour les effets bénéfiques de plantes amazoniennes ou bien originaires d'Asie et nouvellement décrites dans la littérature scientifique, pour m'apercevoir au final que ces plantes n'étaient pas autorisées en Europe. Que de frustration en pensant au superbe produit qui aurait pu en découler !

En tant qu'homme de science, je considère que tout développement de compléments alimentaires devrait répondre idéalement aux étapes décrites ci-contre afin d'en assurer la pertinence, la cohérence et de garantir la sécurité d'emploi ainsi que l'efficacité d'une formule.

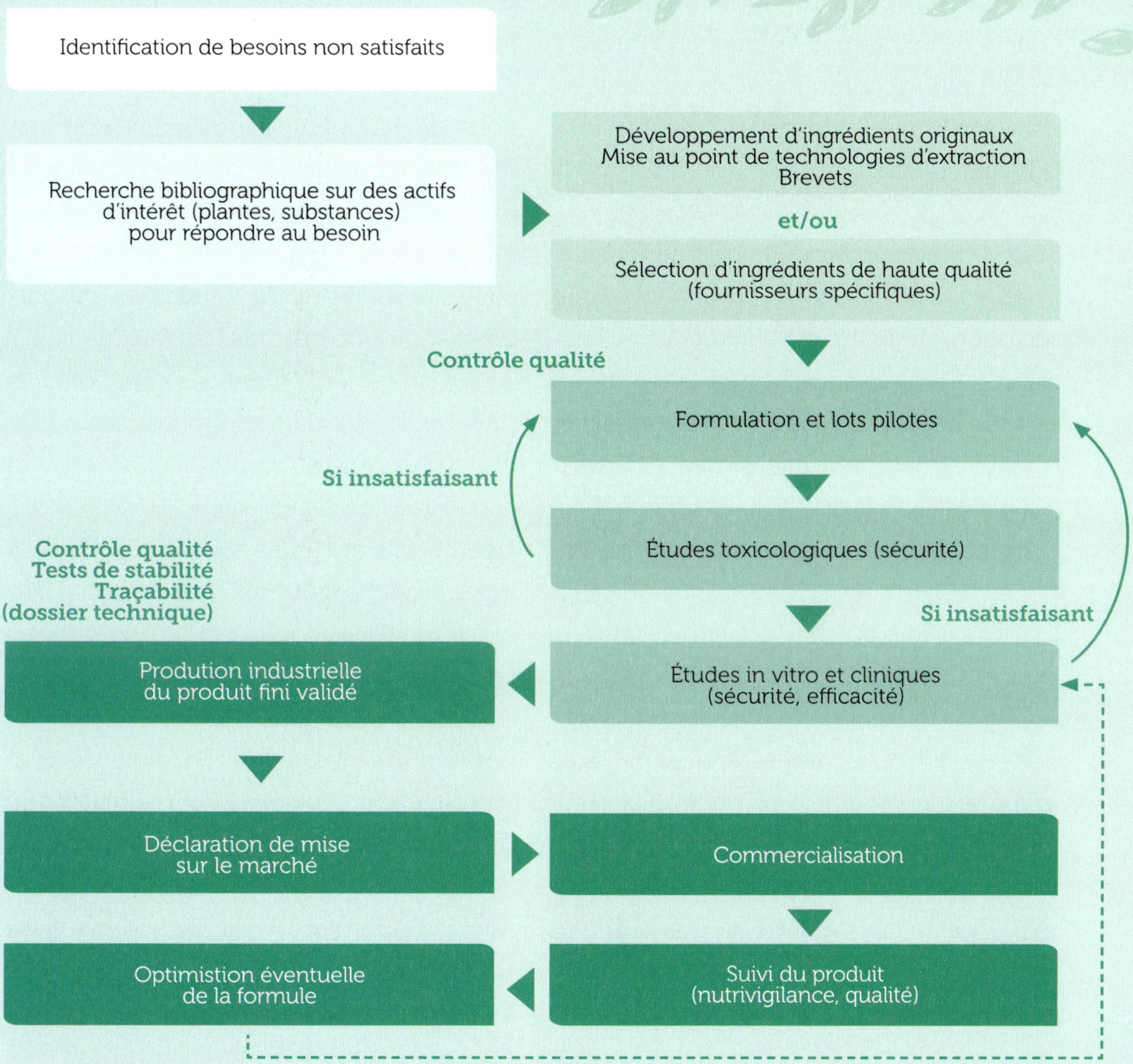
Identification de besoins non satisfaits
Recherche bibliographique sur des actifs d'intérêt (plantes, substances) pour répondre au besoin
Développement d'ingrédients originaux
Mise au point de technologies d'extraction
Brevets
et/ou
Sélection d'ingrédients de haute qualité (fournisseurs spécifiques)
Contrôle qualité
Formulation et lots pilotes
Si insatisfaisant
Études toxicologiques (sécurité)
Si insatisfaisant
Études in vitro et cliniques (sécurité, efficacité)
Contrôle qualité
Tests de stabilité
Traçabilité
(dossier technique)
Prodution industrielle du produit fini validé
Déclaration de mise sur le marché
Commercialisation
Suivi du produit (nutrivigilance, qualité)
Optimistion éventuelle de la formule

Au vu de ces nombreuses étapes et des temps longs que certaines supposent, notamment en ce qui concerne les études cliniques, il paraît évident que le développement d'un complément alimentaire de qualité ne se fait pas en quelques mois. Il se compte au contraire généralement en nombre d'années (de trois à cinq ans dans la plupart de cas).

Pour formuler un produit, il est possible de gagner un peu de temps en se focalisant sur des ingrédients ou actifs dont l'efficacité a déjà été prouvée au travers d'études cliniques. Mais cela ne doit pas empêcher l'industriel de réaliser sa propre étude sur le produit fini tel qu'il sera consommé au quotidien, afin de s'assurer de son efficacité.

Un des critères qui peut également être un indice quant au sérieux des laboratoires, appliqués dans la recherche de l'efficacité de leurs formules, est l'étendue de leurs gammes de produits en fonction de leur ancienneté sur le marché.
En effet, à l'image de certains restaurants, plus il y a de plats inscrits au menu et plus vous risquez de manger du surgelé simplement réchauffé : la quantité rime rarement avec la qualité. À l'inverse, les tables gastronomiques ne proposent généralement à la carte qu'un choix assez restreint de plats, réalisés avec des produits frais et de saison.
Ce point de vue s'applique également aux compléments alimentaires, où il convient de privilégier les acteurs qui proposent des gammes courtes et dans lesquelles les produits n'ont pas une composition ni des indications redondantes entre eux.

Pour développer de nouveaux compléments alimentaires, la logique veut que les besoins des consommateurs soient pris en compte.
Malheureusement, la tendance est aux effets de mode qui, tels des feux de paille, ne durent généralement pas longtemps. Ils s'inscrivent dans une vision opportuniste et court-termiste, orientée « business » et non « besoins des clients ».
Néanmoins, quelques acteurs développent leurs produits comme s'ils étaient destinés à des êtres chers, tandis que d'autres se contentent de suivre les tendances du marché, surtout en regardant ce qu'il se passe outre-Atlantique. En effet, ce sont bien souvent les États-Unis qui dictent au reste du monde la croissance de certaines catégories de compléments alimentaires.
Ainsi, ces derniers mois, lors de ma veille hebdomadaire du marché américain, j'ai lu de plus en plus régulièrement qu'une nouvelle catégorie d'ingrédients allait faire un malheur : les nootropes/nootropiques.
Derrière ce mot dérivé du grec ancien *nóos*, qui signifie « psyché, esprit », et du suffixe « tropos » (« tour, direction, orien-

tation »), se retrouvent des plantes (entières ou sous forme d'extraits), des substances actives ou des compléments alimentaires qui visent à moduler la physiologie cérébrale et la psychologie, dans le but d'optimiser le fonctionnement cognitif. Parmi ces fameux nootropiques « innovants », nous citerons de façon non exhaustive le ginkgo, la Centella *(Centella asiatica)*, le thé vert, la caféine, le bacopa, le ginseng…
Bref, il ne s'agit ni plus ni moins que de plantes ou substances connues en Europe depuis de nombreuses décennies, voire des millénaires, sous le vocable d'adaptogènes. Ou comment faire du neuf avec du vieux, façon marketing à l'américaine…

Dans un registre légèrement différent, toute la profession est en ébullition depuis deux ans autour du concept américain du cannabidiol (CBD). Cet actif d'intérêt, extrait du chanvre et dépourvu d'activité psychotrope (à l'inverse du THC qui est responsable de la sensation de « défonce » du cannabis), possède de nombreuses propriétés intéressantes sur notre métabolisme, notamment dans la sphère neuropsychiatrique[24] ou encore sur l'inflammation et l'oxydation[25].

Enfin, il y a un certain nombre d'acteurs qui surfent sur l'opportunisme ou encore qui se contentent de suivre les tendances des acteurs innovants présents sur le marché en copiant leurs formules. Nous l'avons bien vu dès le début de la crise sanitaire en 2020 : de nombreuses formulations à visée immunitaire ont vu le jour et la communication a été honteusement axée sur les termes « coronavirus » et « Covid-19 ». Les autorités ont d'ailleurs vivement réagi, poussant même le géant du commerce en ligne Amazon à interdire à ses revendeurs l'emploi de certains mots-clés liés à la Covid-19[26]. C'est dire s'il y a eu des abus… au détriment du consommateur.

Le développement d'un complément alimentaire se doit donc de concilier le besoin des clients, le respect de la réglementation, l'intérêt de l'industriel et, surtout, la loyauté envers les consommateurs afin de leur proposer, en toute honnêteté, un produit sûr et efficace.

Comment ces produits sont-ils fabriqués ?

En préambule, il faut savoir que la fabrication des compléments alimentaires doit répondre aux exigences de la réglementation relative à l'hygiène des denrées alimentaires[27].

Cela consiste à adopter de bonnes pratiques en matière d'hygiène (nettoyage des machines, désinfection des locaux, propreté du personnel manipulant les produits…), généralement complétées par des bonnes pratiques de fabrication (traçabilité, contrôles qualité des ingrédients, procédures de mélange, etc.)[28].

Les façonniers de compléments alimentaires sont tenus de prouver aux autorités de contrôle (DGCCRF) qu'ils se conforment à leurs obligations, et notamment qu'ils appliquent un système d'analyse des risques, autrement nommée « analyse HACCP »[29, 30].

Les façonniers les plus à cheval sur la qualité des produits qu'ils travaillent auront à cœur de viser une certification confirmant que les processus mis en œuvre assurent la meilleure qualité de fabrication possible à ces produits, au travers de nombreuses étapes de vérification.

C'est bien souvent la certification ISO 22000[31] (Management de la sécurité des denrées alimentaires) que les façonniers les plus exigeants obtiennent.

Ceux-ci pourront même être certifiés GMP[32] (Good Manufacturing Practices), qui constitue la norme de fabrication pour l'industrie pharmaceutique la plus sévère et la plus difficile à obtenir.

Attention au jargon de certains fabricants qui indiquent que leurs productions sont « conformes aux référentiels GMP ou ISO 22000 ». Cela ne signifie pas obligatoirement qu'ils sont certifiés par des organismes accrédités sur ces normes. Dans le cas d'un fabricant certifié, celui-ci pourra vous présenter une copie de son certificat sur simple demande.

Bon à savoir. La certification d'un fabricant ne concerne que le respect des normes de qualité de fabrication des produits effectuée dans ses installations. Cela ne certifie en aucun cas le complément alimentaire en lui-même ni ne préjuge de son efficacité.

Plusieurs possibilités s'offrent aux acteurs du marché (laboratoires, vendeurs de compléments) lorsqu'il s'agit de fabriquer des compléments alimentaires.

Tout d'abord, ils ont la possibilité d'acheter des produits « sur étagère », prêts à l'emploi (offre appelée « Private Label / Marque

Blanche » dans le jargon professionnel). Cette offre très répandue permet à des façonniers/fabricants de proposer toute une gamme de compléments alimentaires « clés en main » aux laboratoires qui, pour obtenir des produits prêts à vendre, n'ont plus qu'à fournir un nom de marque et un design pour leurs étiquettes ou étuis.

L'avantage de ces achats « sur étagère » est évident pour les laboratoires :
- Des concepts répondant aux tendances du marché ;
- Un gain de temps et d'argent, car aucun développement n'est nécessaire (c'est le façonnier qui réalise la recherche et le développement (R&D), et non le vendeur du complément) ;
- Des formules répondant aux critères de la réglementation et déjà déclarées auprès des autorités ;
- Une mise sur le marché très rapide ;
- Une possibilité de lancer de petites séries, car les volumes minimums de fabrication sont répartis sur plusieurs clients par le fabricant.

Au rang des inconvénients de ce type d'offre, de nombreux laboratoires se retrouvent à vendre exactement les mêmes produits que leurs concurrents, à la différence près de l'emballage. Il n'y a de plus aucun caractère innovant dans ce type de produits très basiques.

De manière alternative, les laboratoires ont la possibilité de recourir à des prestations dites « full service » auprès des fabricants. Dans cette offre, le laboratoire soumet une demande bien précise (par exemple, une formule à visée oculaire ou un produit pour mieux dormir...) et le fabricant lui propose alors des ingrédients et une formule pour répondre à ce besoin.
Un développement industriel pour valider la faisabilité de cette fabrication et déterminer le prix de revient du produit est alors réalisé par le fabricant. Ce dernier peut éventuellement accompagner son client pour faciliter l'enregistrement de cette nouvelle formule auprès des autorités.
Enfin, selon les besoins du laboratoire, le fabricant lance la production de lots industriels plus ou moins importants, moyennant un prix fixe par complément fabriqué.
À la différence de l'offre en marque blanche, ce type de prestation permet d'obtenir une formule un peu plus personnalisée. Néanmoins, un grand nombre d'acteurs se retrouvent bien souvent avec les mêmes ingrédients ou les mêmes extraits que certains de leurs concurrents, étant donné que c'est le fabricant qui réalise l'approvisionnement de ces matières (et non le laboratoire). Il n'a donc pas intérêt à proposer un catalogue trop important d'actifs à ses clients (sauf exigence particulière de ces derniers).

En effet, la recherche des coûts les plus optimisés est une constante dans ce genre de prestations, le fabricant réalisant sa marge notamment sur le prix bas des matières ainsi que sur les prestations annexes (impression des étiquettes et étuis). Cela n'incite pas à aller vers la qualité, mais plutôt à la recherche de volumes importants pour les actifs afin d'avoir des tarifs intéressants.

Certains fournisseurs d'ingrédients premium m'ont d'ailleurs avoué avoir toutes les difficultés à proposer leurs actifs à ces fabricants, car ils sont souvent bien plus chers que les ingrédients basiques en provenance de Chine ou de pays à bas coûts.

Au cours de la vie des compléments alimentaires issus de ces offres « full service », il n'est d'ailleurs pas rare qu'un ingrédient soit remplacé par un autre, le fabricant ayant trouvé moins cher auprès d'un autre fournisseur. Et, bien souvent, le laboratoire client est mis devant le fait accompli (ou n'est pas prévenu du tout). C'est l'un des risques de confier le sourcing des ingrédients aux fabricants.

Enfin, dans la dernière catégorie, on retrouve les rares acteurs du secteur qui réalisent en interne les étapes de recherche (bibliographie, mise au point, études), de formulation, de développement des nouveaux compléments alimentaires et de sourcing des matières premières. Seule la partie façonnage peut être éventuellement confiée à un prestataire certifié.

Pour ces laboratoires, peu nombreux, déléguer la mise au point, la qualité et la traçabilité de leurs produits à d'autres est inconcevable. C'est une exigence qui nécessite néanmoins d'avoir le personnel qualifié en interne pour pouvoir mener à bien toutes ces missions. C'est à ce prix qu'ils gardent la maîtrise complète de la chaîne à toutes les étapes, de la conception de leurs formules jusqu'à la vente en direct de leurs produits finis, sans aucun intermédiaire.

C'est vers ce genre de laboratoires que je vous encourage vivement à aller pour choisir vos compléments alimentaires.

Le saviez-vous ?

Que ce soit en marque blanche ou en « full service », ce sont les fabricants/façonniers qui réalisent la plupart du travail de mise au point d'un complément alimentaire, de sourcing des matières premières ainsi que la fabrication du produit.
Les laboratoires qui passent par ce type de prestations ne sont donc jamais en contact avec les matières premières utilisées dans leurs formules. Ils délèguent la qualité et la traçabilité de leurs compléments alimentaires à leurs prestataires.

COMMENT CHOISIR UN BON COMPLÉMENT ALIMENTAIRE ?

Naturalité des ingrédients et de la formulation

Tout d'abord, il convient de définir ce que les consommateurs perçoivent au travers du terme « naturel » ou « naturalité ».

Cette perception est différente selon le pays d'origine, les habitudes de consommation ou encore la culture et la psychologie du consommateur.

Aux États-Unis, par exemple, le département d'État de l'agriculture (USDA : *United States Department of Agriculture*) définit comme « naturel » tout « *produit qui ne contient pas de couleur ajoutée ou d'ingrédient artificiel et qui n'est que peu transformé, c'est-à-dire obtenu d'une manière qui ne modifie pas fondamentalement le produit d'origine*[33] ».

En Europe, il n'existe aucune définition précise du terme « naturel ».
En France, il faut se référer aux notes d'information de la DGCCRF pour mieux appréhender cette notion[34].
Aux yeux de nos autorités, « *le terme "naturel" ou tout autre mot ou expression ayant substantiellement la même signification devrait généralement être réservé à des denrées alimentaires provenant de la nature et présentées à la vente en l'état ou après une transformation mécanique n'entraînant pas de modification profonde. Si le produit a subi une stabilisation (par le froid ou le chaud), une cuisson, une fermentation ou une torréfaction/infusion, il est conseillé d'utiliser le terme "d'origine naturelle"* ».
Les Français sont donc plus restrictifs quant à cette définition.

Cette recherche de la naturalité répond à un besoin de réassurance de la part des consommateurs qui souhaitent éviter d'ingurgiter des substances chimiques de plus en plus décriées, ce qui se comprend aisément. De consommateurs, les gens deviennent « consomm'acteurs ». L'industrie agroalimentaire l'a bien compris et surfe sur cette vague : les mentions « sans gluten, sans OGM, sans additif, 100 % naturel... » fleurissent sur les emballages afin de rassurer la clientèle. Malheureusement, cette surenchère de naturalité cache parfois des procédés marketing qui ne sont fondés sur aucun élément concret ou, pire, qui sont basés sur l'intention de tromper le consommateur.

Arrêtons-nous un instant sur différents exemples.

LE CAS DE CERTAINS "NOUVEAUX INGRÉDIENTS"

Comme évoqué dans la première partie sur la réglementation, les ingrédients d'usage traditionnel, quelle que soit leur provenance dans le monde mais qui ne bénéficient pas d'un historique de consommation dans l'UE avant le 15 mai 1997, sont considérés comme des « nouveaux ingrédients ».

Pourtant, quoi de plus naturel me direz-vous que des graines de chia, que la vitamine K2, que la pulpe séchée du fruit du baobab ou que des phospholipides de jaune d'œuf ? Tous ces ingrédients ont malgré tout dû faire l'objet d'une demande d'autorisation au titre des « nouveaux ingrédients », pour pouvoir être commercialisés en Europe.

Ces dernières années, on a vu néanmoins apparaître dans ce type de demandes, des ingrédients qui n'ont rien de naturel. Lorsqu'on étudie de près certains dossiers, les demandeurs ne cachent même pas l'origine chimique ou synthétique de leurs produits. Du moment que ceux-ci présentent les garanties demandées de sécurité d'utilisation, ils peuvent obtenir une autorisation de commercialisation. C'est ainsi que certains ingrédients ont fait ou feront prochainement leur apparition sur le marché européen : le fructoborate de calcium (synthèse chimique)[35], le monohydrate de calcidiol (un dérivé très actif de la vitamine D, obtenu chimiquement)[36] ou encore le complexe acide orthosilicique-vanilline (une forme assimilable de silice, qui se révèle *in fine* être un assemblage de nanoparticules)[37].

D'autres acteurs peuvent induire en erreur le consommateur en faisant mention, à propos de formulations qui n'existent pas à l'état naturel, de termes rassurants du type « Garanti sans conservateur, ni colorant… ». Voici ci-dessous un exemple parmi d'autres d'une publicité faite sur une formulation de vitamine C liposomale.

Fabriqué en France

GARANTI SANS GLUTEN, OGM, CONSERVATEUR, COLORANT

COMPOSITION
Aqueous solution, ascorbic acid, sodium ascorbate, phospholipids complex from soya lecithin (E322), sweetener: natural steviol glycosides, preservative: potassium sorbate (E202).

Communication pour une formule liposomale de Vitamine C 20 % (B2B)

Que voit-on dans cette communication? Tout d'abord, la mention très en vogue (mais également très encadrée) « Fabriqué en France » alors que la composition du produit est écrite en anglais. Ensuite, apparaît la mention « Garanti sans conservateur ni colorant ». L'œil averti aura tout de suite repéré dans la composition la présence du sorbate de potassium, qui n'est autre qu'un... conservateur !

De plus, la vitamine C utilisée dans la fabrication de ce produit est l'acide ascorbique, forme synthétique et non naturelle. Elle est associée à une autre forme de vitamine C, l'ascorbate de sodium, qui sert généralement d'additif pour stabiliser la formule et en préserver la couleur.

À cela, on peut ajouter que les formes liposomales sont, pour la plupart, des nanoparticules, obtenues par des procédés industriels plus pharmaceutiques qu'alimentaires (utilisation de solvants organiques, homogénéisation haute pression, sonication, etc.). C'est l'une des raisons qui ont conduit la DGCCRF à considérer ces préparations comme de « nouveaux ingrédients », pour lesquels il n'y a aucune autorisation de commercialisation à l'heure actuelle.

Je vous laisse le soin de conclure quant à la véracité de l'allégation « Garanti sans... » et quant à la naturalité de ce produit.

Le saviez-vous ?

N'importe qui peut consulter le catalogue Novel Food sur le site de la Commission européenne[38]. Vous y retrouvez l'ensemble des dossiers soumis pour évaluation ainsi que les autorisations qui ont été délivrées. C'est une mine d'informations pour les consomm'acteurs, soucieux de la naturalité des ingrédients.

LE CAS DES INGRÉDIENTS TRÈS TITRÉS EN ACTIFS

Il est possible d'exploiter les bienfaits des plantes sous plusieurs formes. La plus naturelle est de les sécher à basse température afin d'en stabiliser les principes actifs et d'en préserver la qualité microbiologique (éviter la prolifération des bactéries et des moisissures). Elles pourront alors être proposées entières (pour des infusions) ou sous forme de poudre pour les compléments alimentaires.

Pour de très nombreuses plantes, la concentration en actifs n'est pas optimale si on se contente de les utiliser sous forme entière : un rhizome de curcuma de la meilleure qualité qu'il soit ne renferme que 5 à 7 % de substances actives.

Nous avons alors souvent recours à des techniques d'extraction, afin de concentrer les actifs d'intérêt de telle ou telle plante. Cette extraction doit être respectueuse de la matière première et éviter autant que possible l'utilisation de solvants (acétone, hexane, éthanol, glycérine, propylène glycol...) dont il reste parfois des traces dans l'extrait obtenu.
La plupart des extraits végétaux sont ainsi réalisés grâce à une extraction à l'eau ou par un mélange eau/éthanol. Lorsque vous réalisez une infusion ou quand vous vous préparez un thé, vous effectuez sans le savoir une extraction aqueuse des principes actifs des plantes !

Néanmoins, certains actifs de plantes sont plus solubles dans tel ou tel solvant. Le choix de ce dernier est donc primordial pour obtenir le résultat désiré en matière d'actifs. Une des conséquences est que, pour un solvant donné, vous ne pourrez pas extraire tous les actifs dont certains resteront dans la matière première. Cela influence donc considérablement la qualité de votre extrait.

Certains acteurs prennent des libertés avec cette limitation naturelle en ajoutant délibérément un actif dans un extrait végétal avant de le sécher, ce qui s'apparente à une adultération de l'ingrédient.

J'ai eu récemment une discussion avec un spécialiste de l'extraction végétale, qui avait été approché par un gros acteur pharmaceutique pour lui fournir un extrait de guarana riche en caféine. Celui-ci lui demandait une concentration à 22 % de caféine ! L'extracteur lui a répondu qu'il ne pouvait espérer au mieux que 7 % de caféine dans un extrait de guarana naturel. Ce à quoi l'acteur pharmaceutique lui a rétorqué : « Je sais que je vous demande une adultération, mais c'est ce que le marché veut ! »

Certains fournisseurs d'ingrédients proposent des extraits de prêle obtenus à l'eau et titrés à 7 % voire 10 % de silice. Moi qui connais bien cette plante, je peux vous certifier qu'il est impossible d'atteindre cette teneur avec une extraction aqueuse. L'astuce utilisée ici consiste à sécher l'extrait de prêle sur un support de... dioxyde de silicium, ce qui fait logiquement monter le taux de silice dans l'extrait.
Ce n'est pas très honnête vis-à-vis des consommateurs qui s'attendent à ce que les actifs viennent naturellement de la plante.

À l'inverse, j'ai déjà vu un laboratoire refuser un lot de prêle séchée pour fabriquer son extrait, car la plante ne contenait pas assez de silice native par rapport à ses attentes. Dans ce cas, si un nutriment n'est pas suffisamment présent au départ, vous ne risquez pas de le retrouver à l'arrivée. (Souvenez-vous de Lavoisier : *« Rien ne se perd, rien ne se crée : tout se transforme ».*) En l'occurrence, le lot de prêle en question, pauvre en silice, est retourné sur le marché, où il a trouvé un preneur moins regardant.

LE CAS DES INGRÉDIENTS NATURELS "COUPÉS"

De nombreux produits présentés comme des compléments alimentaires à finalité aphrodisiaque sont censés contenir des ingrédients d'origine naturelle, notamment des plantes et leurs extraits. Or, récemment, les laboratoires de la DGCCRF ont montré qu'un certain nombre d'entre eux contiennent des substances actives médicamenteuses qui ne sont pas déclarées sur l'étiquetage[39].

Parmi ces substances, on retrouve le principe actif sildénafil, bien connu pour ses propriétés sur la dysfonction érectile.
Ce n'est malheureusement pas un cas isolé. Ces compléments alimentaires sont le plus souvent vendus sur les réseaux sociaux. Ce type de fraude, sous couvert d'ingrédients naturels, se retrouve également dans le domaine des produits pour sportifs, notamment certains mélanges d'acides aminés en provenance des États-Unis, censés stimuler la prise de masse musculaire. Certains contiennent des stéroïdes anabolisants ou encore de l'éphédrine[40] ; rien de tel pour rendre un produit lambda efficace... Mais à quel prix pour la santé des consommateurs !
Dans son édition du 17 février 2022, le journal *L'Équipe* insiste d'ailleurs sur cette problématique rencontrée au sein du

rugby, avec son article « Le risque d'un dopage contre son gré ».

Enfin, dans le cas de certains extraits végétaux très coûteux ou très rares, certains fournisseurs d'ingrédients sont tentés de les couper avec d'autres extraits bon marché.

Les extraits huileux de fruits de palmier nain (*Serenoa repens*) en sont un bon exemple. Ce palmier pousse exclusivement en Floride où il est soumis régulièrement à des tempêtes qui impactent une partie des récoltes. Celles-ci se font majoritairement à la main, et les cueilleurs doivent demander un permis de récolter les fruits auprès de l'État de Floride[41]. Tout cela fait que le prix de la matière première, et par conséquent celui de l'huile qui en découle, est très élevé.

Une pratique courante est de diluer l'huile de fruits de palmier nain avec des huiles végétales bon marché comme celles de colza, d'olive, de noix de coco, de palme ou encore de tournesol. Cette adultération est facilement détectée par des analyses chromatographiques courantes.

Une fraude encore plus poussée consiste à reproduire le profil en acides gras de l'huile de palmier nain avec un savant mélange d'huiles... animales (porc, poulet, agneau) ! Seules des analyses très élaborées permettent de détecter cette fraude[42]. Il est à noter que, dans ce cas, les extraits adultérés de palmier nain proviennent très majoritairement de Chine.

Pour conclure ce chapitre, je vous recommande de vous méfier lorsque vous voyez qu'un complément alimentaire arbore de trop nombreuses allégations en lien avec la naturalité du produit : « trop de naturel tue le naturel » !

Redoublez de prudence lorsque vous cherchez un complément alimentaire à visée aphrodisiaque, pour perdre du poids ou encore pour prendre énormément de muscles. Ce sont des niches où la fraude sévit beaucoup plus fréquemment.

N'hésitez pas à questionner les laboratoires sur la provenance de leurs matières premières, les processus d'extraction utilisés ou encore la teneur en actifs de leurs extraits. Une trop forte teneur en principes actifs par rapport à ce qui se fait chez les concurrents doit vous mettre la puce à l'oreille quant à une éventuelle adultération.

Dosage respectueux de l'organisme

"Ni trop, ni trop peu"

Je ne compte plus le nombre de fois où j'ai vu des consommateurs qui sélectionnaient un complément alimentaire en se basant uniquement sur celui qui présentait le plus fort dosage en nutriments. Comme si la qualité d'un vin se jugeait à son seul degré d'alcool!

Prenons comme exemple le cas de la vitamine D, qui revient assez régulièrement dans nos échanges. Un grand nombre d'entre vous me demande pourquoi certains compléments alimentaires sont dosés à seulement 200 UI de vitamine D par goutte ou gélule alors que d'autres proposent 1000, voire 2000 UI par goutte ou gélule, et surtout lequel choisir.

Tout d'abord, il est important de revenir sur la notion réglementaire de DJM (dose journalière maximale) que nous avons vue dans le chapitre sur la réglementation. En France, c'est toujours l'arrêté du 9 mai 2006, dans son annexe III, qui définit la DJM pour la vitamine D à 5 µg. Cette dose peut également être exprimée en unités internationales (UI), elle correspond alors à 200 UI.
Dans ces conditions, pourquoi trouve-t-on sur le marché des compléments dosés jusqu'à 4000 UI par unité de prise?

Voici la réponse de la Direction générale de la concurrence, de la consommation et de la répression des fraudes à cette question: « *La DGCCRF a mis à disposition des professionnels du secteur des données sur [...] les limites indicatives pouvant être admises dans les compléments alimentaires au regard de l'évolution des connaissances et du principe de libre circulation des marchandises au sein de l'UE. [...] Cet outil destiné à faciliter les démarches des utilisateurs de TéléIcare n'a pas de valeur réglementaire [...]* ».
Pour résumer ce verbiage administratif, à partir du moment où des compléments alimentaires sont vendus au sein de l'UE avec des dosages en vitamine D supérieurs aux limites réglementaires françaises, la DGCCRF tolère des doses journalières en vitamine D supérieures à 200 UI/jour.
Ce qui n'est absolument pas précisé dans ce courrier, c'est qu'en cas de survenue d'un problème dû à ces dosages élevés, seule la réglementation fait foi et le juge, lui, ne fera probablement preuve d'aucune « tolérance ».

J'ai eu connaissance d'un cas où il a fallu fournir à un centre antipoison un dossier technique sur un complément alimentaire de vitamine D3, après qu'une enfant de trois ans ayant échappé à la surveillance de sa mère avait avalé la moitié du flacon (5 ml soit 30000 UI de vitamine D3).

Dans ce genre de situation, le centre antipoison exige qu'on lui communique toute la documentation sur le produit incriminé dans un délai maximal de six heures pour évaluer le risque potentiel et prendre, si besoin, les mesures qui s'imposent. Il est crucial pour les laboratoires de maîtriser l'ensemble de leur chaîne d'approvisionnement et de disposer des dossiers techniques et réglementaires de tous leurs produits. Ils doivent être capables de répondre à ce type de demande dans l'heure. Sinon, il faut passer par le façonnier qui a proposé le produit clé en main.
Dans le cas cité, heureusement que le laboratoire était une référence sérieuse et que cette vitamine D3 végétale n'était dosée qu'à 200 UI par goutte ! La petite fille n'a eu aucun effet gênant, car le produit était dosé de façon juste et conforme à la réglementation. Imaginez ce qui aurait pu arriver avec un dosage plus corsé...

L'Agence nationale de sécurité sanitaire de l'alimentation (ANSES) a d'ailleurs alerté en juillet 2021 sur les risques d'intoxication chez les nourrissons par mésusage de compléments alimentaires de vitamine D[43].
Les compléments incriminés, destinés aux adultes, apportaient 10 000 UI de vitamine D par goutte alors que les recommandations d'apport pour les nourrissons sont plutôt de l'ordre de 1 000 UI par jour pour ceux qui sont allaités et de 600 à 800 UI par jour pour ceux qui boivent du lait déjà enrichi en vitamine D.

Contrairement à ce qu'on peut lire ici ou là sur Internet, rien ne sert de prendre plusieurs milliers d'UI de vitamine D par jour. J'ai l'exemple récent de plusieurs personnes (dont des praticiens de santé) qui m'ont fait part de la survenue d'une hypercalcémie au bout de quelques mois de prise de hautes doses de vitamine D.

Par ailleurs, il existe de nombreux articles scientifiques qui traitent de cette vitamine et qui mettent en avant un bénéfice optimal d'une prise quotidienne de 800 à 1 000 UI sur la santé ostéoarticulaire[44] et également sur le risque de chutes[45].
À l'inverse, la prise de doses supérieures ou égales à 4 000 UI par jour peut impacter négativement la souplesse des vaisseaux sanguins[46] ou encore la santé osseuse[47].

Aujourd'hui, de trop nombreux compléments alimentaires à base de vitamine D sont plus fortement dosés que des médicaments à base de cette même vitamine proposés en pharmacies !
Ces compléments pourraient risquer une requalification en médicament par présentation. D'autre part, les conseillers de santé et autres coachs de bien-être qui les proposent pourraient être poursuivis pour exercice illégal de la médecine.

Le marché des acides gras polyinsaturés à longue chaîne oméga-3 est révélateur de cette « course à l'armement » concernant les dosages. Ces nutriments sont très utilisés dans les compléments alimentaires, cherchant à améliorer la santé mentale ou encore la vision.

Une huile brute de poisson comme le saumon contient naturellement environ 20 % d'oméga-3 dont 12 % d'acide docosahexaénoïque (DHA) et 10 % d'acide eicosapentaénoïque (EPA). Pour l'huile issue des têtes de thon, la teneur naturelle est d'environ 25 % de DHA et 5 % d'EPA. Des quantités assez importantes d'huile sont donc nécessaires pour atteindre un niveau de supplémentation satisfaisant.

Pour répondre à cette problématique, les industriels ont donc concentré leurs huiles afin de proposer des dosages toujours plus importants en oméga-3 : le fameux grade 18/12 (18 % DHA, 12 % EPA) puis 60/30 et même, pour les dosages les plus élevés, 90 % d'EPA ou de DHA seul.

Malheureusement, qui dit concentration des oméga-3 dit également concentration des contaminants solubles dans l'huile, comme les métaux lourds. Il faut donc mettre en place d'autres procédés pour « nettoyer » l'huile.

Au final, la recherche de concentrations toujours plus élevées en oméga-3 dans les huiles a conduit les industriels à utiliser des procédés dignes de la pétrochimie... au détriment de la naturalité.

Il est par ailleurs curieux de constater que de plus en plus de scientifiques mettent en garde contre de trop grands apports en oméga-3.

Ainsi, des chercheurs français ont montré de manière intéressante l'effet bénéfique de dosages aussi faibles que 200 mg d'oméga-3 par jour sur l'équilibre de la balance lipidique ainsi que sur le statut antioxydant[48]. La supplémentation avec une dose d'oméga-3 supérieure au gramme favorise l'apparition dans le sang de particules liées à l'oxydation, qui pourraient agir négativement sur la santé cardiovasculaire.

Des travaux complémentaires ont également montré cet effet intéressant de faibles doses quotidiennes (200 à 400 mg d'oméga-3) sur des cellules immunitaires impliquées dans la formation des plaques d'athérome[49], effets qui ne sont pas retrouvés avec des doses plus élevées.

D'autres auteurs, dont l'équipe dirigée par le Pr Michel Linder, un des plus grands spécialistes français des lipides, ont mis en évidence l'intérêt dans le domaine cognitif de doses physiologiques d'oméga-3 issues d'un complexe marin, lui-même extrait de façon douce et sans solvant du saumon[50].

Comme quoi, le mieux peut parfois être l'ennemi du bien.

Au-delà de la concentration plus ou moins élevée en nutriments de tel ou tel produit isolé, il s'agit aussi de les prendre en compte lorsqu'ils sont pris en association. En effet, certains d'entre vous prennent plusieurs compléments alimentaires par jour. Même s'ils sont consommés pour des raisons bien différentes, il arrive parfois qu'ils aient des ingrédients communs et donc qu'ils apportent les mêmes nutriments.
Il est nécessaire de prendre en compte l'ensemble des produits consommés lorsque vous calculez la dose journalière de vos apports en nutriments. Et dans l'idéal, il faut pouvoir y intégrer une estimation des apports via votre alimentation. Pour cela, il existe des tables de composition nutritionnelle moyenne des aliments, comme la table CIQUAL[51].
Généralement, ce travail de vérification est effectué par les praticiens de santé sérieux lorsqu'ils conseillent des compléments alimentaires à leurs patients. Ces professionnels sont sensibilisés au cours de leurs études aux risques liés au cumul de dosages trop importants en nutriments.

Un autre point qu'il faut avoir en tête est le risque de consommer des doses élevées de nutriments sur des temps longs (plusieurs mois, voire des années).

Il existe relativement peu de données sur la consommation de longue durée des compléments alimentaires, ce type d'études étant par nature longues et coûteuses. Certains fournisseurs d'ingrédients premium et même de (rares) laboratoires réalisent néanmoins des études assez longues sur leur produit. Je pense notamment à un ingrédient à base de curcumine assimilable en provenance d'Italie, qui a été testé sur un an dans les problématiques oculaires[52]. J'ai aussi en mémoire un complément alimentaire basé sur un extrait spécifique de prêle, dont la prise a été étudiée chez des femmes ménopausées sur une durée d'un an, dans une société de recherche contractuelle (CRO).

Enfin, je souhaite terminer cette rubrique en attirant votre attention sur une certaine catégorie de compléments alimentaires venant, pour la plupart, des États-Unis. Il s'agit des compléments hyperdosés à l'unité, dont les conseils d'utilisation sont volontairement ambigus pour s'adapter aux normes européennes.

Les Américains sont les spécialistes des doses élevées en nutriments. Il n'est pas rare de voir chez eux des compléments apportant, par exemple, 50 mg de zinc alors que la DJM est de 15 mg en France. Certains laboratoires qui importent ce type de compléments hyperdosés indiquent

Le saviez-vous ?

Il existe deux formes de vitamine D : la vitamine D2 et la vitamine D3.
La vitamine D2 (ergocalciférol) est d'origine végétale. La vitamine D3 (cholécalciférol) est la forme naturellement synthétisée par la peau sous l'action du soleil.
La vitamine D3 est la forme la plus stable et la plus biodisponible pour l'organisme.
Il est donc préférable de privilégier cette forme.

alors sur leurs étiquettes qu'il faut prendre une fraction de comprimé par jour (un quart ou un demi) ou encore une gélule tous les deux ou trois jours. De cette façon, ils sont en accord avec les DJM de ce côté de l'Atlantique. Mais pour un consommateur ou une consommatrice qui a l'habitude de prendre une ou deux gélules par jour de compléments traditionnels, cela peut vite déboucher sur la prise « par inadvertance » de quantités importantes de nutriments, avec quelquefois de graves conséquences sur la santé.

C'est ce qui est arrivé dans le cas de l'alerte ANSES de juillet 2021 décrite un peu plus haut, concernant la vitamine D. Dans ce cas, une goutte du produit apportait 10 000 UI et le conseil d'utilisation sur l'étiquetage était « 1 goutte tous les 10 jours » afin de « coller » aux normes européennes. La maman, qui avait l'habitude de donner à son bébé un médicament classique de vitamine D à raison de trois gouttes par jour, a continué sur ce nouveau produit hyperdosé à la même posologie. Du coup, au lieu d'administrer 1 000 UI par jour à son enfant, elle lui a donné par inadvertance 30 000 UI. Le nourrisson a été admis aux urgences et hospitalisé treize jours durant.

Pour résumer :
- Ne raisonnez plus par « Quel est le complément alimentaire qui m'apporte la plus forte concentration de nutriments ? » ;
- Fuyez les produits trop fortement dosés ou les sites qui affirment que la consommation de hautes doses de nutriments est sans danger ;
- Prenez le temps de bien lire la composition des produits que vous achetez pour déterminer les doses de nutriments qu'ils apportent, et surtout pour bien comprendre leurs conditions d'utilisation afin d'éviter d'éventuels surdosages ;
- Enfin, retenez qu'il est toujours plus facile de prendre plusieurs petites doses d'un nutriment qu'une seule et énorme dose.

L'importance de l'assimilation

Pour rebondir sur le passage précédent, rien ne sert de conseiller des quantités trop importantes d'un ou plusieurs nutriments, surtout si le corps ne peut pas les assimiler. Ce qui est pourtant malheureusement le cas de nombreuses vitamines et minéraux.

Pour bien comprendre cette problématique, trop souvent ignorée, il convient de revenir sur la notion de la biodisponibilité d'un nutriment. Il s'agit de la part d'un nutriment présent dans un aliment qui est effectivement assimilée par l'organisme.

Plusieurs facteurs influencent à la hausse ou à la baisse l'importance de cette biodisponibilité ou part assimilée.

- Le type d'aliment (structure, composition).
- La taille des molécules d'intérêt apportées par cet aliment (plus c'est gros moins ça passe !).
- La solubilité de la molécule (huile, eau...).
- La forme galénique du complément alimentaire, si celui-ci est la source d'apport.
- La qualité de notre paroi intestinale.
- L'effet de premier passage hépatique (action des enzymes du foie).
- La prise à jeun ou non, si c'est un complément alimentaire.
- Le rythme biologique propre à chacun (alternance des phases d'éveil et de sommeil).
- D'éventuelles interactions avec des médicaments ou des aliments pris simultanément.
- Une fonction hépatique altérée par l'âge ou la maladie.

À cause de ces différents facteurs, un nutriment ne sera jamais assimilé à 100 %. De plus, cette biodisponibilité est indépendante de la richesse en nutriments d'un produit.

Pour illustrer mes propos, intéressons-nous à quelques nutriments d'intérêt parmi d'autres.

LE FER

C'est un minéral présent en faible quantité dans notre corps, mais il est essentiel à de nombreux processus biochimiques. Le fer est présent dans l'organisme sous deux aspects. Une forme liée à l'hème (que l'on retrouve dans l'hémoglobine), appelée « héminique », et une autre forme retrouvée dans les enzymes ou encore la transferrine (protéine de transport du fer), appelée « non héminique ». Dans l'alimentation, la forme héminique se retrouve dans les produits issus d'animaux tels que la viande, le poisson et les abats, alors que le fer non héminique est apporté par des ingrédients végétaux, du lait ou encore des œufs.

En matière de biodisponibilité, celle du fer héminique est de l'ordre de 25 % contre 5 % pour l'autre forme[53]. Pour assimiler la même quantité de fer, il faut donc consommer cinq fois plus de produits végétaux que de sources animales.

Bon à savoir. L'absorption de fer nécessite la présence de nombreux nutriments tels que le nickel, le cuivre, le molybdène ou encore la vitamine C. À l'inverse, les polyphénols contenus dans le thé, le café ou encore certains végétaux se lient au fer et en diminuent l'absorption. Le calcium perturbe également l'assimilation du fer héminique.

LA VITAMINE E

Ce vocable regroupe un ensemble de huit molécules solubles dans les graisses (lipophiles) – quatre tocotriénols et quatre tocophérols – présentes dans les huiles végétales. La vitamine E est très importante pour empêcher l'oxydation des lipides contenus dans les membranes de nos cellules. Elle agit en étroite relation avec d'autres molécules antioxydantes, comme le coenzyme Q10 (CoQ10), la vitamine C ou encore le glutathion (GSH).
Ce que vous consommez généralement dans les compléments alimentaires sous le terme de vitamine E est l'un de ces tocophérols : l'alpha-tocophérol.
De manière intéressante, une étude de biodisponibilité a mis en évidence que la vitamine E naturelle était deux fois mieux assimilée que la vitamine E synthétique[54].

LE CoQ10

C'est une molécule présente dans toutes les cellules de l'organisme. Le coenzyme Q10 est plus particulièrement présent dans tous les tissus ou systèmes qui nécessitent un très haut niveau d'énergie : le cœur, les muscles, le cerveau, les poumons et le système immunitaire. Il contribue à la fois à la production d'énergie en participant à la synthèse d'ATP, mais également à la protection des membranes biologiques composées de lipides qui sont soumises à un stress oxydatif permanent du fait de notre métabolisme.
Le CoQ10 existe sous deux aspects : une forme réduite instable, l'ubiquinol, et une autre oxydée stable, l'ubiquinone. L'ubiquinol représente d'ailleurs 90 % du CoQ10 sanguin chez les individus en bonne santé. Ce ratio ubiquinol/ubiquinone diminue avec l'avancée en âge, signe d'un statut

antioxydant moins optimal. En effet, plus on vieillit et plus la production de CoQ10 diminue dans nos organes[55]. Ainsi, elle peut être diminuée de moitié entre 35 et 80 ans dans le cœur[56], et elle est souvent corrélée avec l'apparition de problématiques de santé : hypertension, insuffisance cardiaque.

De nombreuses études ont montré que l'ubiquinol est mieux assimilé par l'organisme que la forme ubiquinone. De même, les taux sanguins de CoQ10 étaient plus élevés après la prise d'ubiquinol par rapport à celle d'ubiquinone[57]. Enfin, pour se supplémenter efficacement en CoQ10, les formulations huileuses semblent être plus intéressantes que les formulations sèches.

Il est donc plus intéressant de prendre la forme ubiquinol, mais il faut avoir à l'esprit que cette molécule est instable car, comme tout antioxydant, elle est fortement réactive vis-à-vis des radicaux libres : elle s'oxyde rapidement en ubiquinone.

Lorsque vous recherchez un complément alimentaire à base de CoQ10, intéressez-vous donc à une forme ubiquinol dont l'assimilation est optimisée par une huile végétale (celle d'olive est particulièrement indiquée)[58] et surtout, stabilisée par des antioxydants tels que les polyphénols (extrait de pépins de raisin, extrait de thé vert, …) ou des vitamines (naturelles de préférence).

Le saviez-vous ?

La prise de statines (classe de médicaments pour baisser les taux de cholestérol) a un effet collatéral sur la production de CoQ10 par notre corps, en diminuant cette synthèse. Cette baisse des taux de CoQ10 par les statines pourrait en partie expliquer la survenue de certains effets indésirables connus de ces médicaments, comme les douleurs musculaires, la fatigue ou encore les crampes. Au Japon et au Canada, il est fréquemment prescrit de l'ubiquinol en complément des statines pour éviter ce genre de désagréments.

LE GLUTATHION

Il est naturellement présent dans les cellules de notre corps. C'est un tripeptide indispensable fabriqué par l'organisme à partir de trois acides aminés : l'acide glutamique, la cystéine et la glycine. Le glutathion existe sous deux formes : l'une réduite bioactive (GSH) et l'autre oxydée (GSSG).
Il joue un rôle crucial de défense contre le stress oxydatif, dans le métabolisme et l'élimination des toxines par le foie, dans la stimulation du système immunitaire et dans la régulation de mécanismes essentiels à l'homéostasie (fonctionnement des enzymes, synthèse des protéines, expression des gènes, intégrité de la mitochondrie).
Le glutathion réduit est instable par nature et n'est pas assimilé tel quel par l'organisme lorsqu'il est pris par voie orale, dans le cadre d'une supplémentation. Il est en effet décomposé en acides aminés simples lors du processus de digestion (présence d'eau, variations de pH et intervention d'enzymes digestives) et lors du premier passage dans le foie sous l'action des gamma-glutamyl transférases (les fameuses gamma-GT des prises de sang).
Après assimilation, ces acides aminés simples servent de précurseurs à la fabrication de GSH par l'organisme. Néanmoins, cette synthèse n'est pas complète, d'où les résultats mitigés obtenus généralement avec les supplémentations en glutathion par voie orale. C'est pourquoi de nombreux acteurs de la nutraceutique proposent comme alternative la N-acétylcystéine (NAC), un précurseur du GSH.

Un laboratoire a développé, il y a une dizaine d'années, un procédé breveté autour du GSH[59]. Celui-ci fait appel à la libération progressive de GSH par un comprimé muco-adhésif multicouche par voie sublinguale. Le concept est pertinent car, au niveau de la langue, la muqueuse est fine et richement irriguée. De plus, il n'y a pas d'enzymes susceptibles de dégrader le GSH dans la bouche. Enfin, en passant directement dans la circulation sanguine au niveau de la bouche, le GSH ne subit plus l'effet de premier passage hépatique : il est donc préservé et reste biologiquement actif. Le procédé breveté de libération progressive est également utile pour éviter de saturer trop rapidement la muqueuse en GSH.
Lors d'une étude clinique visant à comparer l'intérêt d'une supplémentation soit par la NAC, soit par le GSH classique, ou par cette nouvelle formule sublinguale de GSH, ce laboratoire a démontré que cette dernière permettait de remonter plus efficacement les taux de GSH que les deux autres formes[60]. De plus, leur GSH par voie sublinguale permet d'améliorer le statut antioxydant de l'organisme et contribue à éviter la trop grande consommation d'autres antioxydants par le corps, la vitamine E en l'occurrence.

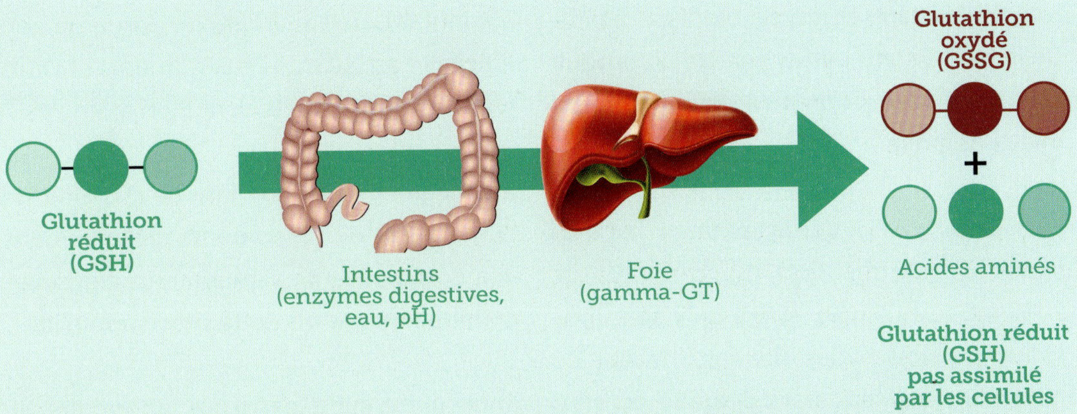

Assimilation après une prise par voie orale de GSH. Le GSH s'oxyde et est dégradé avant d'arriver dans les cellules.

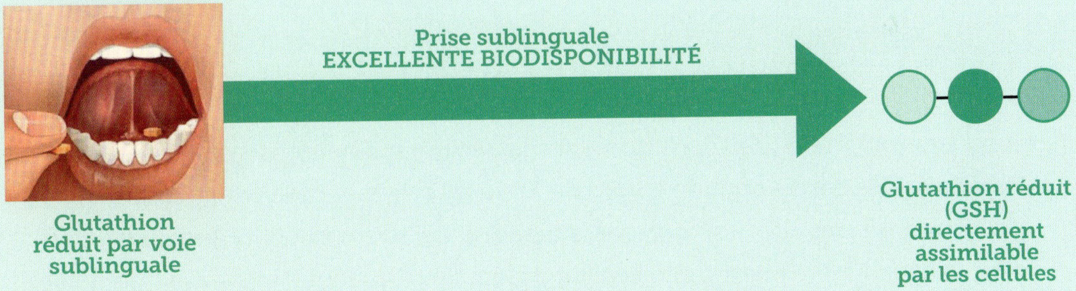

Assimilation d'une forme sublinguale brevetée de GSH. Celui-ci est absorbé tel quel et est préservé.

Source : avec l'aimable autorisation
des Laboratoires Le Stum (56)

S'inspirant de ces travaux, des laboratoires concurrents ont sorti des formes pseudo-sublinguales de GSH, mais qui n'ont fait l'objet d'aucune étude de biodisponibilité. De fait, il ne suffit pas de mettre un produit sous la langue pour qu'il soit forcément mieux assimilé.

Dans le cas du GSH, si sa libération est trop rapide (comprimé non muco-adhésif et à libération normale, spray qu'il soit liposomal ou non), vous risquez d'avaler ce nutriment qui sera alors dégradé comme si vous l'aviez pris par voie orale.

Vous comprenez mieux maintenant toute la complexité et l'importance de l'assimilation des nutriments : un complément alimentaire doit une grande partie de son efficacité au fait que les nutriments et actifs naturels qu'il apporte sont bien assimilés.

Il est également important de s'assurer de la naturalité des nutriments présents dans vos compléments alimentaires, car celle-ci influence parfois cette biodisponibilité.

Enfin, il ne suffit pas à un laboratoire de clamer que telle ou telle formulation est assimilable, encore faut-il qu'il puisse le démontrer à l'aide de preuves tangibles (référence à des études, études internes...). N'hésitez pas à questionner votre laboratoire habituel à ce propos.

Le saviez-vous ?

La concentration en GSH dans notre corps décline malheureusement avec l'âge : dès 40 ans, les pertes sont de l'ordre de 30 %, et celles-ci peuvent atteindre 50 % à partir de 65 ans. De nombreuses situations de stress oxydatif (exposition au tabac, à la pollution, régime alimentaire déséquilibré, pratique intensive d'activités physiques, maladies virales) mettent également à mal nos réserves en GSH. D'où l'intérêt de se supplémenter pour maintenir de bons taux de GSH.

Une efficacité certaine

Écrire qu'un complément alimentaire est efficace, c'est bien, mais le démontrer, c'est encore mieux…

Bien des laboratoires se contentent de communiquer sur les bénéfices des ingrédients de leurs compléments alimentaires, sans même aborder leur dosage dans la formule, ni leur assimilation dans cette matrice, ni l'efficacité du produit dans son ensemble. Or une carrosserie rouge, quatre roues et un moteur ne font pas nécessairement une belle voiture de sport. On peut tout aussi bien tomber sur un véhicule d'entrée de gamme…

Je comprends tout à fait la personne qui s'oriente vers des compléments alimentaires spécifiques qui ont fait leur preuve et qui s'interroge : « Encore un produit à base de cette plante ! J'en ai déjà consommé par le passé et ça ne m'a rien fait ».

Je suis perturbé quand un client me dit d'un produit qu'on lui a conseillé : « Il paraît que ça marche », sans pouvoir avancer la moindre preuve de l'efficacité dudit produit.

Alors comment faire la part des choses face à plusieurs extraits issus d'une même plante ou face à des compléments qui semblent présenter des ingrédients similaires ?

Tout d'abord, et comme nous l'avons vu précédemment, faites attention aux allégations de santé mises en avant par le fabricant, car elles sont assez génériques et n'importe qui peut en revendiquer l'utilisation pour peu que son produit remplisse les conditions requises.
Ensuite, encore une fois, soyez vigilants sur les compléments alimentaires qui proposent de trop grandes quantités de nutriments, supérieures aux AJR, voire aux DJM.
Enfin, intéressez-vous aux études réalisées par le fabricant sur le produit que vous convoitez ou encore aux retours objectivés par des praticiens de santé sur tel ou tel complément.

TOUJOURS COPIÉ, JAMAIS ÉGALÉ

Certains ingrédients (extraits végétaux, formes de vitamines particulières) bénéficient de procédés d'extraction spécifiques, parfois brevetés par leurs fabricants.

Ces procédés peuvent influencer la concentration des nutriments dans l'ingrédient, favoriser l'assimilation de ces nutriments ou encore élargir la diversité des actifs présents dans un extrait de plante.

Tout cela rend certains ingrédients uniques sur le marché même si, sur le papier, ils sont issus de matières premières identiques à celles utilisées par d'autres acteurs pour faire des ingrédients similaires.

Prenons l'exemple de la prêle, qui est connue pour ses capacités reminéralisantes. De la façon dont vous extrairez les nutriments d'intérêt de cette plante dépendra une grande partie de l'efficacité de l'extrait obtenu. Les trois grands procédés d'extraction utilisés pour la prêle sont l'infusion, la percolation et la décoction.

L'infusion (principe du thé)

Elle est utile pour extraire les principes actifs de la plante qui sont solubles dans l'eau (hydrosolubles). De l'eau très chaude (80 à 90 °C) est généralement versée sur la plante moulue ou écrasée. Ce mélange est remué régulièrement pendant quelques minutes jusqu'à une demi-heure, puis il est filtré pour en retirer les morceaux de la plante. Le liquide obtenu est souvent clair et peut subir une concentration pour évacuer le surplus d'eau avant d'être séché.

La percolation (principe du café)

C'est une technique plus lente, qui consiste à recouvrir une plante finement broyée d'une certaine quantité de solvant (eau ou autre liquide). Le solvant passe au travers du substrat végétal et entraîne par ruissellement les actifs de la plante, ce qui prend plusieurs heures. Le marc est ensuite pressé pour récupérer tout l'extrait liquide qui est finalement concentré/séché.

La décoction

Elle permet d'extraire des actifs d'intérêt de matrices végétales complexes (racines, tiges ligneuses, écorces).
Dans cette configuration, les parties de la plante qui peuvent être préalablement écrasées ou moulues sont mises en contact avec de l'eau froide, puis le mélange est porté à ébullition (100 °C). Cette température est maintenue selon un temps variable, de l'ordre de plusieurs minutes, puis le mélange est refroidi avant d'être filtré.

Selon le procédé utilisé, vous récupérez un spectre de nutriments d'intérêt plus ou moins large. Bien évidemment, plus le volume de plantes utilisé dans l'extraction est élevé et plus votre extrait final sera riche en nutriments.

Il convient de veiller à la température et à la durée du procédé, car une trop haute température, associée ou non à un temps trop long, peut détruire certains composés fragiles présents dans la plante (polyphénols, vitamines...).

Vous pourrez lire, page suivante, un résultat clinique représentatif obtenu avec un extrait spécifique de prêle des champs *(Equisetum arvense)*, qui découle d'un procédé d'extraction particulier mixant une extraction par infusion et une percolation[61].

Ce procédé permet d'extraire de la plante une silice soluble, naturellement chélatée à des flavonoïdes (notamment de l'isoquercitrine) et à des minéraux (principalement du potassium).

Contrairement à des extraits classiques de prêle, cet extrait spécifique présente une teneur naturelle en silice et en potassium plus élevée (respectivement de l'ordre de 2 % et 10 %). C'est la chélation naturelle de ses constituants entre eux ainsi que sa richesse en actifs qui expliquent l'efficacité de cet extrait spécifique de prêle.

Voici, à propos de cet extrait spécifique de prêle, le témoignage très intéressant d'une personne, auquel j'ai eu accès et que je vous livre ici de façon brute.

« J'avais été traitée pendant six ans avec des bisphosphonates. Puis, il y a environ deux ans, j'ai dû subir une extraction dentaire qui n'a pas été simple, à cause d'une ostéoporose importante. Par conséquent, il a fallu s'entourer de grandes précautions, car une extraction dentaire, après un tel traitement, était déconseillée en raison du risque que l'os de la mâchoire ne se régénère pas et se nécrose... Je souffrais beaucoup. J'ai donc été mise sous antibiotiques pendant quatre mois avant l'extraction (avant de trouver un dentiste qui voulait bien m'extraire ma dent) et encore trois mois après. J'ai pris ce complément alimentaire à base de prêle. Je continue ce traitement aujourd'hui et, dix-sept mois après cette intervention, l'os de ma mâchoire est entièrement reformé !

Nous pouvons enfin, confiants, avec les médecins qui me suivent, envisager une prochaine extraction. OUF ! JE SUIS SOULAGÉE ! Finalement, je vais pouvoir continuer à faire soigner mes dents ! J'ai également passé, depuis, une autre ostéodensitométrie et là, super résultat, mon ostéoporose s'est non seulement stabilisée, mais elle a même déjà légèrement régressé. »

Le saviez-vous ?

La silice occupe une place centrale dans le métabolisme du tissu conjonctif, élément de base du cartilage et de l'os. En effet, elle intervient dans la formation de la matrice extracellulaire, en assurant les liaisons entre les différents éléments la constituant (collagènes, élastine, glycosaminoglycanes). Cette matrice formera après minéralisation la trame osseuse. La silice se révèle également nécessaire au maintien de l'intégrité et de l'élasticité de la paroi artérielle. Enfin, elle intervient dans les processus de kératinisation (ongles, cheveux, épiderme)[62].

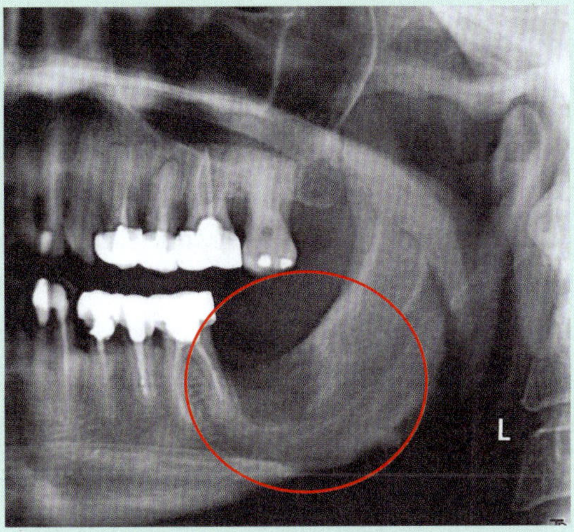

Personne présentant une nécrose
de l'os de la mâchoire (cercle rouge) après la prise
de bisphosphonates.

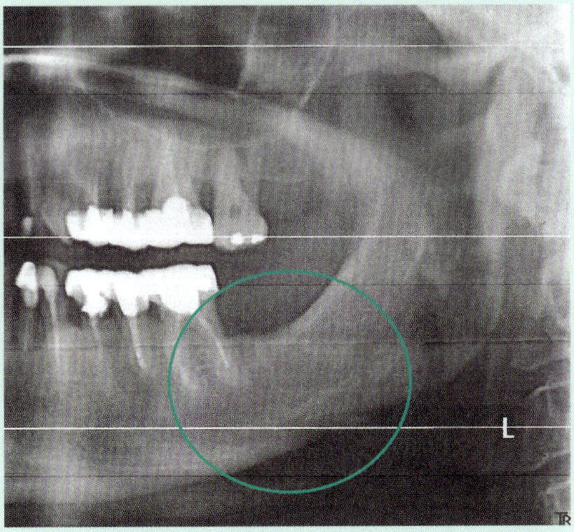

Six mois après la prise de l'extrait
spécifique de prêle, à raison de 2,4 g par jour,
l'os alvéolaire s'est reconstitué.

Source: Avec l'aimable autorisation de la patiente

DU JUSTE DOSAGE D'UN INGRÉDIENT EFFICACE

Les fournisseurs d'ingrédients sérieux réalisent des dossiers scientifiques pour mettre en évidence les bénéfices de leurs produits, que ce soit des formes particulières de minéraux, des extraits de plantes ou encore des complexes naturels de nutriments d'origine marine. Ils démontrent généralement qu'à un dosage donné, leur ingrédient exerce des effets bénéfiques sur tel ou tel processus physiologique, d'où l'intérêt de l'intégrer dans une formule de complément alimentaire.

En matière de développement et d'études, tout prend du temps et coûte de l'argent. D'où, généralement, les prix plus élevés de cet ingrédient par rapport à des produits similaires mais dont l'efficacité n'aurait pas été objectivée.

Certains laboratoires incorporent volontairement des doses plus faibles que celles qui ont démontré leur intérêt dans les études des fabricants d'ingrédients, afin de minimiser le coût de la formule finale.
Au risque que le complément alimentaire ne soit pas aussi efficace qu'espéré. À ce stade, rien ne dit en effet qu'à des doses plus faibles, l'ingrédient conserve encore tous ses bienfaits. C'est ce qu'on appelle en biologie « l'effet dose-réponse ».

L'étude présentée ci-contre met en évidence les bénéfices d'un extrait d'ail noir sur la tension artérielle.
En effet, au bout de douze semaines, on observe une diminution statistiquement non due au hasard de ce paramètre important pour la santé cardiovasculaire, les sujets passant d'une tension moyenne de 15/8 à 13/7.
Ces résultats sont plus importants lorsque les volontaires consomment 480 mg d'extrait d'ail noir par jour qu'avec une dose plus faible. C'est le fameux effet dose-réponse.

Comme nous l'avons vu dans le chapitre sur l'importance d'un dosage physiologique des nutriments, le fait de prendre une dose d'extraits encore plus importante (960 mg/jour) a des effets négatifs, car la tension ne diminue pas autant que pour la prise de 480 mg/jour.

Souvenez-vous de l'adage « ni trop, ni trop peu »...

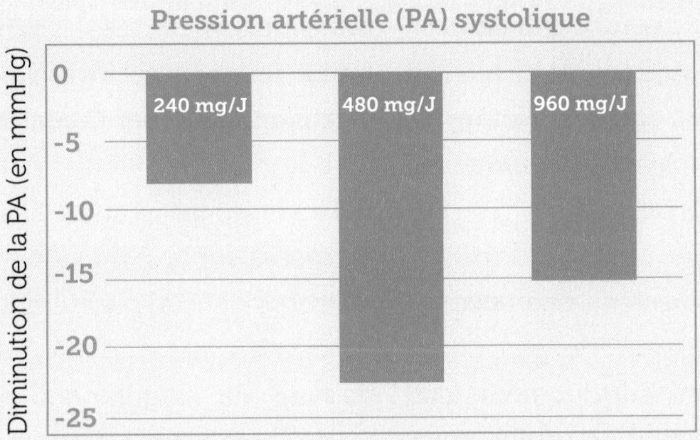

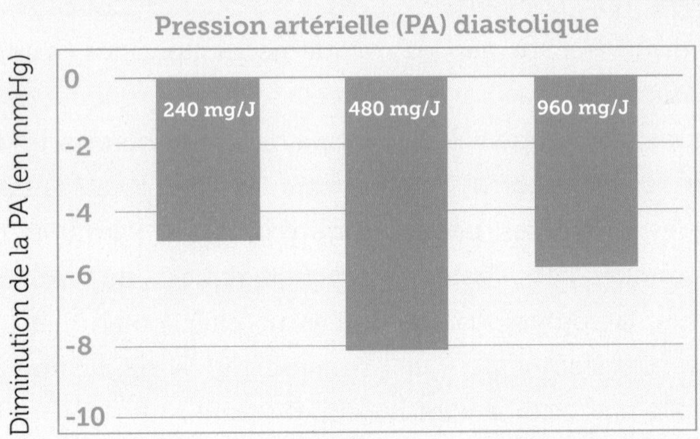

Effet dose-réponse d'un extrait d'ail noir *(Allium sativum)* sur la valeur de la pression artérielle de sujets hypertendus, après 12 semaines de prise.

Source : Ried K. et al. Eur J Clin Nutr. 2013 Jan ; 67(1):64-70

La recommandation

À l'heure actuelle, les personnes soucieuses de leur santé cherchent à devenir plus expertes sur le sujet. Pour cela, elles ont recours à diverses sources d'information : médias en ligne, livres, entourage ou encore professionnels de santé.

Certains patients souhaitent être accompagnés dans leur découverte des compléments alimentaires, surtout pour leur premier achat. Il convient de souligner ici l'importance du suivi et du conseil par un professionnel de santé ou par un praticien de médecine dite « complémentaire ».

Ces pratiques de soins non conventionnelles (PSNC) sont diverses, tant par les techniques qu'elles emploient que par les fondements théoriques sur lesquels elles s'appuient. Elles regroupent, selon l'OMS jusqu'à 400 techniques différentes, parmi lesquelles les plus connues sont l'ostéopathie, la naturopathie, la sophrologie, la chiropraxie, l'hypnose, la mésothérapie, la médecine traditionnelle chinoise, le yoga, l'acupuncture, l'auriculothérapie...

Le choix d'une PSNC doit se faire en fonction de votre problématique, mais aussi selon les affinités que vous pourrez avoir avec telle ou telle technique.

La médecine conventionnelle dite « allopathique » se concentre sur le traitement spécifique des symptômes, généralement avec des méthodes pharmacologiques (médicaments) ou invasives (acte chirurgical) pour éliminer l'agent incriminé.

À l'inverse, les pratiques alternatives se focalisent sur la stimulation de la capacité du corps dans son ensemble à se « régénérer » ou à normaliser son fonctionnement via l'alignement énergétique, le rééquilibrage alimentaire, la supplémentation à base de plantes ou d'extraits d'origine naturelle ou encore d'autres techniques de régulation.

Les « médecines douces » à visée physique nécessitent des manipulations corporelles. Elles regroupent notamment l'ostéopathie, la chiropraxie, la kinésiologie ou encore les innombrables formes de massage proposées. Parmi les pratiques plus psychologiques ou psychocorporelles, on peut citer notamment l'hypnose, la sophrologie, la méditation, la relaxation, l'équithérapie...

Enfin, certaines pratiques sont issues de traditions médicales ancestrales : médecine ayurvédique, traditionnelle chinoise, ou africaine, traditions de guérison autochtones en Amérique du Nord, etc.

Les lectures qui ont retenu mon attention

Dans ces médecines douces, les compléments alimentaires sont une aide appréciable qui vient en complément de l'apport de la pratique des praticiens, dans le but d'atteindre un bénéfice optimal pour le patient. Ce dernier sera notamment guidé sur la bonne utilisation des compléments alimentaires par le praticien, qui insistera probablement sur des notions que nous venons de voir ensemble : naturalité des nutriments, dosages physiologiques, assimilation, absence d'interactions néfastes...

Devant l'étendue des médecines douces et de la multiplicité des pratiques, je laisse le soin à d'autres auteurs plus spécialisés que moi sur celles-ci de vous apporter leurs informations.

- *L'Alimentation ou la troisième médecine* (Éditions Dauphin) du regretté Dr Jean Seignalet.
Un ouvrage majeur qui explique comment les changements dans nos modes de vie et notre alimentation peuvent conduire au développement des maladies dites « de civilisation » telles que la polyarthrite rhumatoïde, l'asthme, le diabète, la maladie cœliaque, le cancer...

- *Huiles essentielles : médecine d'avenir.*
-*104 maladies du XXIe siècle.*
- *104 prescriptions naturelles.*
Trois ouvrages de référence (Éditions Testez) du Dr Jean-Pierre Willem.

- *Les dix cerveaux de la naturopathie : la vision holistique* (Éditions Jouvence) de Daniel Kieffer, un des ambassadeurs de la naturopathie en France et en Europe.

- *Ma bible de l'homéopathie* (Éditions Leduc) d'Albert-Claude Quemoun, un excellent ouvrage pour bien appréhender l'homéopathie.

- *Diététique de l'expérience* (Éditions Trédaniel) de feu Robert Masson, fidèle serviteur de la naturopathie et de l'importance d'une nutrition équilibrée et adaptée à l'individu.

- *Rajeunir jusqu'à 100 ans* (Éditions Delville santé) de l'ostéopathe Jean-Claude Secondé.

- *Ostéoporose, se soigner par l'alimentation* (Éditions Grancher) du Dr Éric Ménat.

- *Silica, The Forgotten Nutrient* (Éditions Alive Books) de Klaus Kaufmann.

- *Bien-être et compléments alimentaires* (Éditions Marie Claire) de la naturopathe Maïté Demoulin.

- *Le pouvoir des oméga-3* (Éditions Alpen) du Dr Michel de Lorgeril et de la nutritionniste Patricia Salen.

- *Nutrithérapie marine* (Éditions Dangles) du Dr Dominique Hoareau.

LES POINTS DE VIGILANCE

Sourcing des ingrédients

"Ab origine fidelis"

Dans le domaine des compléments alimentaires, les vertus de tel ou tel ingrédient s'appuient notamment sur leur origine naturelle et sur les propriétés reconnues par l'usage traditionnel.
Pourtant, il est possible qu'il y ait des confusions, involontaires ou non, de la part de certains fabricants sur la nature réelle de leurs ingrédients. En effet, il peut y avoir substitution d'une plante par une autre, utilisation d'une partie (racine, sommités fleuries...) qui n'est pas celle décrite dans la littérature scientifique, etc.

Rappelez-vous que beaucoup d'acteurs du marché de la nutraceutique n'achètent pas eux-mêmes leurs ingrédients et passent par des façonniers qui se fournissent auprès de vendeurs d'ingrédients. Vendeurs qui, pour certains, se contentent d'acheter et de revendre des ingrédients (des courtiers, en quelque sorte).

Voici quelques exemples de ce à quoi les consommateurs peuvent être confrontés...

LE CoQ 10

Nous avons vu dans le chapitre sur l'importance de l'assimilation que cet antioxydant essentiel pour fabriquer de l'énergie dans nos cellules se présente sous deux formes, dont la plus intéressante est l'ubiquinol (la forme réduite, bioactive).

Cette dernière n'est fabriquée à l'heure actuelle que par une seule société japonaise qui dispose d'un brevet. Elle est extrêmement coûteuse à produire, et les prix tournent autour de 1500 à 1800 euros le kilogramme.

La forme oxydée, l'ubiquinone, peut se trouver auprès de fabricants chinois aux alentours de 100 à 150 euros le kilogramme. Ce qui explique la différence de prix entre un complément à base d'ubiquinol et un à base d'ubiquinone.

D'autant qu'il faut prendre beaucoup de précautions pour fabriquer un produit à base d'ubiquinol pour éviter que celui-ci ne s'oxyde. Cela passe notamment par l'ajout d'une huile végétale protectrice et par une mise en gélules du mélange huile-ubiquinol sous atmosphère inerte (azote).

À gauche : un sac sous vide contenant de l'ubiquinol (blanc). À droite : un sac du même lot que celui de gauche, mais présentant un défaut de scellage. Dans celui-ci, l'ubiquinol s'est oxydé en ubiquinone (orange). À noter : l'étiquette est écrite en japonais et non en chinois.

Source : collection de l'auteur

L'événement ci-dessus est survenu lors d'une production industrielle d'un produit à base d'ubiquinol[63]. L'usine spécialisée travaillant ce produit relève qu'un des sacs d'ubiquinol présentait un défaut de scellage et que, par conséquent, son contenu avait pris l'air et donc changé de couleur en s'oxydant. Il a donc dû être écarté de la production, soit une perte sèche de 1 500 euros le kilogramme !

Et pourtant, le contenu de ce sac, non conforme pour certains, représentait la matière première d'un grand nombre d'acteurs du marché du CoQ10...

Des laboratoires vont même jusqu'à reprendre les arguments scientifiques de l'ubiquinol pour vanter leurs produits, sans préciser qu'ils ont recours à de l'ubiquinone pour les fabriquer.

Au vu du prix très élevé de la matière première, de la complexité de la production et de l'intérêt d'un tel ingrédient, un laboratoire proposant du CoQ10 réduit mentionnera forcément le terme « ubiquinol » dans la composition ou l'étiquetage de son complément alimentaire.

Quand vous cherchez un produit à base de CoQ10, retenez ce simple principe : s'il n'y a pas de précisions (dans la composition), c'est qu'il y a de l'oxydation (de l'ubiquinone donc).

L'ÉCHINACÉE

Les échinacées sont une famille de plantes issues des grandes plaines nord-américaines (Kansas, Missouri, Dakota, Wyoming). Il en existe neuf espèces différentes dont trois sont plus connues que les autres : *Echinacea angustifolia, E. purpurea et E. pallida.*

Utilisée traditionnellement par les hommes et femmes-médecine des tribus indiennes, *E. angustifolia* a largement contribué au succès de la médecine éclectique.
Cette médecine s'est développée au cours des années 1840 aux États-Unis, en intégrant une foule d'approches variées allant de l'homéopathie à l'hypnose, en passant par les pharmacopées de diverses cultures. Elle se situe entre l'expérience et la raison, en réfutant tout dogmatisme ou empirisme. La médecine éclectique a permis de diffuser de nombreux remèdes botaniques, aujourd'hui tombés en désuétude avec le développement de la chimie pharmaceutique.

Je vous conseille d'ailleurs de lire l'une des publications les plus importantes de cette médecine, l'*Eclectic Materia Medica* de Harvey Wickes Felter[64].

E. angustifolia était largement utilisée pour traiter les morsures de serpents et d'araignées venimeuses, les maux de gorge et les rhumes, les problèmes dentaires ou encore pour stimuler l'immunité[65].

De nombreux pays européens, notamment la France et l'Allemagne, importaient massivement les racines d'*E. angustifolia* des États-Unis pour fabriquer leurs remèdes au début du XXe siècle.

La Grande Guerre et ses conséquences sur le commerce mondial ont favorisé la mise en place d'une culture de l'échinacée en Europe, mais elle concernait surtout *E. purpurea*.

L'intérêt des préparations à base d'échinacées a fortement diminué avec l'arrivée des premiers antibiotiques de synthèse disponibles de façon industrielle dans les années 1940-1950.

Revenons sur la racine d'échinacée (*Echinacea angustifolia*). J'insiste bien sur la racine d'échinacée et sur l'espèce angustifolia. En effet, il existe sur le marché des extraits de parties aériennes d'échinacée. Ces extraits ne présentent pas le même profil ni la même richesse en principes actifs que la racine (les échinacosides, notamment). Ils ne sont donc pas assez pertinents pour avoir un effet sur l'immunité.

De même, selon les espèces d'échinacées, les concentrations en actifs peuvent varier et influencer plus ou moins fortement l'efficacité de la préparation. Si vous voulez vous rapprocher des standards de la médecine éclectique, il vous faut vous orienter vers la racine d'*E. angustifolia*.

Enfin, l'importance de l'approvisionnement en matière première n'est pas négligeable, surtout depuis la crise sanitaire liée à la Covid-19. En effet, avec le ralentissement du commerce international et les très nombreuses pénuries, il est devenu extrêmement difficile de s'approvisionner en *E. angustifolia* dont la plupart des stocks venaient des États-Unis.

Pour remédier à cet inconvénient, on voit arriver depuis peu sur le marché des extraits basés sur les cellules souches végétales.

Une cellule souche est une cellule capable de se multiplier indéfiniment et de donner naissance à l'ensemble des cellules spécialisées qui constituent un organisme. Cela se prête particulièrement bien au monde végétal qui est plus flexible que les tissus animaux : nous ne pouvons pas nous reproduire par simple bouturage, par exemple.

Appliqué à la phytothérapie, le principe est d'isoler à partir de la racine d'*E. angustifolia* des cellules souches capables de produire tous les principes actifs présents d'ordinaire dans la racine.
Mises en culture dans un milieu contrôlé à 100 %, ces cellules se multiplient et fabriquent des métabolites comme dans une racine normale. Il suffit ensuite de récupérer cette biomasse et d'en réaliser un extrait qui présentera les mêmes caractéristiques et les mêmes propriétés qu'un extrait de racine d'échinacée.

Les intérêts de ce type d'extraits sont multiples :
- La ressource est quasiment illimitée ;
- Aucun prélèvement de biomasse dans la nature n'est nécessaire (utilisation durable) ;

- L'extrait obtenu est exempt de contaminants (métaux lourds, toxines, pesticides...), à la différence de la plante dans son milieu naturel ;
- La concentration en principes actifs est reproductible d'une fabrication à l'autre, ce qui n'est pas le cas avec un extrait classique (il existe une saisonnalité chez les plantes). Il est également plus aisé d'obtenir des concentrations supérieures avec des cellules souches qu'avec les plantes entières.

Pour obtenir un excellent complément alimentaire visant l'immunité, l'association d'un extrait d'*E. angustifolia* obtenu à partir de cellules souches végétales, d'un extrait de propolis de qualité et d'un extrait végétal riche en alcaloïdes immunostimulants (du type *Uncaria tomentosa* – la griffe de chat, une liane d'Amazonie) est particulièrement intéressante[66].

LA PRÊLE

La prêle est une plante fascinante : au Dévonien (-400 millions d'années), elle servait de nourriture aux dinosaures herbivores. De cette époque, les prêles ont gardé cette allure archaïque. Elles poussent sur des sols humides argileux ou siliceux dans lesquels elles pompent d'énormes quantités de minéraux qu'elles fixent dans leurs tissus.

Il est important de contrôler différents paramètres lorsqu'on parle de la prêle.

Tout d'abord, il en existe plusieurs : la prêle des champs *(Equisetum arvense)*, la prêle des marais *(Equisetum palustre)*, la prêle d'hiver ou du Japon *(Equisetum hyemale)* et la prêle des eaux *(Equisetum fluviatile)* sont les plus connues.

Seule la prêle des champs a un intérêt en nutraceutique : les trois autres, et notamment la prêle des marais, contiennent des alcaloïdes indésirables (palustrine et dérivés). La prêle des champs, elle, en est exempte. Mais attention toutefois aux adultérations qui restent toujours possibles, comme nous le verrons un peu plus tard dans cet ouvrage !

La prêle possède deux types de parties aériennes : les tiges fertiles et les tiges stériles. Ce sont ces dernières qui sont utiles pour réaliser un extrait. Elles se forment à partir du rhizome de la plante et apparaissent vers avril-mai. Elles sont très riches en minéraux (jusqu'à 50 % de la masse sèche) et notamment en silice et en potassium.

La meilleure matière première reste la prêle de printemps qui est la plus concentrée en silice et en flavonoïdes.

COMPOSITION
Prêle (partie aérienne= : 250 mg/gélule de poudre
totale titrée au minimum à 0,3 % en flavonoïdes totaux exprimés en isoquercitroside.
Enveloppe de la gélule : hypromellose (dérivé de cellulose).

POSOLOGIE
Voie orale. Réservé à l'adulte.
1 gélule matin, midi et soir à prendre au moment des repas. Sur les conseils de votre pharmacien, la posologie peut-être portée à 6 gélules par jour.

Avaler la gélule avec un grand verre d'eau.

Analyse nutritionnelle	Pour 4 gélules
Vitamine D3	5 µg (100% des AR*) Soit 200 UI
Extrait de prêle *dont silice*	1 600 mg *32 mg*
Huile d'avocat bio	36 mg
Extrait minéral d'eau de mer	20 mg

* Apports de Référence

À gauche : complément alimentaire à base de prêle plante (poudre totale).
À droite : complément alimentaire à base d'extrait de prêle des champs de printemps (extrait aqueux).

La prêle plante renferme de la nicotine, un alcaloïde psychotrope qui exerce des effets de dépendance, ainsi que de la thiaminase, une enzyme qui dégrade la vitamine B1 (ou thiamine).

Ce sont ces deux substances qui expliquent les mises en garde généralement liées à la consommation de la prêle plante.

À ce niveau, il est nécessaire de faire la distinction entre la prise de prêle plante et celle d'extraits de prêle. Certains procédés d'extraction permettent en effet de détruire la thiaminase et de ne pas extraire la nicotine de la plante, garantissant une sécurité d'emploi accrue des extraits de prêle.

Les extraits de prêle sont plus concentrés en actifs que la plante entière, ce qui majore leur intérêt.

Dans la comparaison ci-dessus, l'extrait de prêle du complément alimentaire de droite contient 2 % de flavonoïdes, alors que la plante entière du premier complément, à gauche, n'en apporte que 0,3 %.

Lisez donc bien la composition des compléments alimentaires à base de prêle. L'étiquette doit notamment indiquer si vous avez affaire à un extrait ou à de la plante simplement broyée.

LE RESVÉRATROL

Le resvératrol, dont la réputation n'est plus à faire, est l'un des constituants de la vigne (*Vitis vinifera*).

Selon la légende, il serait responsable chez les amateurs de bonne chère des effets bénéfiques du vin sur le système cardio-vasculaire, vous savez le fameux « french paradox »[67].

C'est justement autour de ce concept que le resvératrol a été poussé d'un point de vue marketing.
Précisons tout de suite que le resvératrol est plus concentré dans le sarment de la vigne que dans la grappe de raisin en elle-même.

Le resvératrol présent sur le marché des compléments alimentaires est, pour des raisons de coût, extrait non pas de la vigne mais de la renouée du Japon *(Polygonum cuspidatum)*, dont les racines en renferment une quantité exploitable.
Nous sommes donc bien loin du « french paradox ».
Cela ne doit néanmoins pas empêcher les amateurs de vin de profiter, avec modération bien sûr, de ce breuvage dionysien.

L'HARPAGOPHYTUM

L'harpagophytum *(Harpagophytum procumbens)* pousse dans la région du Kalahari, principalement en Namibie.

Du fait d'une très grosse demande pour le domaine de la nutraceutique, cette plante a failli être classée dans les années 2000 sur la liste CITES (annexe II) des espèces en voie de disparition. L'aspect durable de sa production ainsi que sa surexploitation restent des menaces pour cette plante.

Une espèce proche, *H. zeyheri*, présente un profil similaire en principes actifs, mais avec des concentrations en harpagosides beaucoup moins importantes.

Pour des raisons de commodité, *H. zeyheri* est souvent utilisée en lieu et place de *H. procumbens* (adultération). Il en résulte des extraits d'Harpagophytum généralement moins efficaces puisque moins riches en principes actifs.

Interactions avec les médicaments

"Ce n'est pas parce que le produit est naturel qu'il est forcément sans danger"

Il faut rappeler en préambule de cette partie qu'à l'origine la majorité des molécules pharmaceutiques sont issues de plantes, même si elles sont ensuite synthétisées chimiquement.
Citons, de façon non exhaustive, quelques principes actifs d'intérêt d'origine végétale : l'acide acétylsalicylique, la quinine, le docétaxel et la morphine.

L'acide acétylsalicylique

C'est l'un des médicaments les plus consommés au monde : l'aspirine. Il a été isolé initialement à partir de l'écorce de saule blanc *(Salix alba)* et des fleurs de reine-des-prés *(Filipendula ulmaria)*.

La quinine

Historiquement réputée pour ses propriétés antipaludiques, elle est issue de l'écorce d'un arbuste d'Amérique du Sud, le quinquina *(Cinchona calisaya)*.

Le docétaxel

Cette molécule anticancéreuse est un alcaloïde dérivant d'une molécule extraite des feuilles de l'if européen *(Taxus baccata)*.

La morphine

Ce puissant analgésique (antidouleur) est le principal alcaloïde de l'opium, le latex tiré du pavot somnifère *(Papaver somniferum)*.

La prise concomitante de compléments alimentaires et de médicaments est une pratique assez répandue : aux États-Unis, plus de 16 % des personnes qui prennent des médicaments consomment également des compléments alimentaires[68].
Cela peut néanmoins poser un problème pour les médicaments qui ont un index thérapeutique étroit. Dans ces cas, la dose thérapeutique est généralement proche de la dose à laquelle apparaissent les effets néfastes du médicament.

Vous comprenez aisément que la moindre influence de facteurs extérieurs (alimentation, prise de compléments...) sur la façon dont sont métabolisés ces médicaments peut avoir des conséquences graves : perte d'effet thérapeutique ou effets indésirables décuplés.

Intéressons-nous à ces interactions entre médicaments et compléments, que l'on peut répartir en deux catégories : l'interaction pharmacocinétique et l'interaction pharmacodynamique.

L'INTERACTION PHARMACOCINÉTIQUE
Modification de l'assimilation d'un principe actif pharmaceutique par le complément alimentaire

Afin de bien comprendre ce phénomène, il faut tout d'abord retenir que tout ce que nous ingurgitons (aliments, médicaments, compléments alimentaires, liquides, contaminants...) est métabolisé dans notre organisme par des systèmes enzymatiques spécialisés.

L'un de ces systèmes correspond aux cytochromes de la famille P450 (CytP450). Chez l'Homme, il regroupe environ une trentaine d'enzymes, principalement exprimées dans le foie et l'intestin. Les substances traitées par les CytP450 deviennent plus solubles dans les liquides et peuvent donc être plus facilement éliminées, en particulier par les reins.
Certains individus sont moins bien pourvus que d'autres en enzymes CytP450, ce qui explique que, pour une substance donnée (médicament, compléments, alcool), nous ne la métabolisons pas tous de la même manière : chacun réagit différemment à sa prise.

D'autre part, tous les médicaments sont métabolisés par les CytP450, ce qui joue sur l'importance et la durée de leurs effets thérapeutiques. Mais certains d'entre eux sont en outre capables de modifier à la hausse ou à la baisse l'activité des CytP450.

Certaines plantes exercent des effets similaires sur les CytP450[69].

Le millepertuis *(Hypericum perforatum)* ou herbe de la Saint-Jean est sans nul doute la plus connue d'entre elles.
Réputées au Moyen Âge pour éloigner la mélancolie, les sommités fleuries du millepertuis sont traditionnellement utilisées en cas de dépression légère à modérée. Ces effets intéressants sont dus à la présence dans les fleurs d'hyperforine[70]. Cette molécule bioactive interagit avec l'une des enzymes des CytP450 et en augmente l'activité de métabolisation.
Étant donné que cette enzyme est capable de traiter 70 % des médicaments existants, l'efficacité de ceux-ci peut être grandement diminuée par la prise de millepertuis.

Parmi les molécules pharmaceutiques impactées, nous pouvons citer les contraceptifs oraux, certains anticoagulants comme la warfarine, la ciclosporine et le tacrolimus (immunosuppresseurs), l'irinotécan (anticancéreux), la digoxine (régularisation du rythme cardiaque), les antirétroviraux ou encore la plupart des anticonvulsivants (carbamazépine, phénobarbital...).

Le jus de pamplemousse *(Citrus xparadisi)* est désormais bien connu pour ses capacités à perturber la métabolisation d'un grand nombre de médicaments : les statines (lutte contre le cholestérol), la famille des benzodiazépines (anxiolytiques), les immunosuppresseurs, les inhibiteurs calciques (médicaments de cardiologie), certains anticancéreux ou encore certains actifs destinés à lutter contre les troubles de l'érection.

Un seul verre de jus de pamplemousse (250 ml) suffit à perturber la transformation des principes actifs cités et à en augmenter – parfois dangereusement – l'effet[71].

Le gingembre *(Zingiber officinale)* potentialise l'effet des anticoagulants comme la warfarine (Coumadine en France), ce qui peut conduire à des hémorragies[72].

Il est riche en vitamine C, et l'on sait que de fortes doses de celle-ci (plusieurs grammes par jour) peuvent perturber l'élimination rénale d'acide acétylsalicylique, augmentant de fait le risque hémorragique au niveau intestinal, ainsi que celle des antibiotiques sulfamidés[73].

La racine de la réglisse *(Glycyrrhiza glabra)* renferme, entre autres substances, de la glycyrrhizine.

Celle-ci perturbe le fonctionnement des CytP450 et augmente le risque de surdosage pour plusieurs classes de médicaments telles que la digitaline et ses dérivés, certains diurétiques de l'anse (entraînant de dangereuses carences en potassium) ou encore les corticostéroïdes[74].

Il convient toujours de privilégier les extraits de réglisse déglycyrrhizinés, ce qui limite leurs effets secondaires, et de ne pas consommer ces extraits plus de six semaines sans avis médical (avertissement obligatoire d'étiquetage).

Soyez également vigilants à propos des compléments alimentaires à visée détox, car certains pourraient perturber le fonctionnement normal des CytP450. De ce fait, ils pourraient interférer avec le devenir de médicaments pris de façon concomitante.

N'hésitez pas à vous renseigner auprès des laboratoires afin de savoir si des tests ont été effectués pour démontrer la neutralité de leur formule vis-à-vis des CytP450. Ces études *in vitro* réalisées en général sur des cellules de foie, permettent de déterminer si une molécule (ou complexe de molécules) perturbe ou non l'activité des CytP450.

J'ai en tête un complexe détoxifiant à base de plantes et d'algues[75] qui a démontré qu'il n'influençait pas l'activité des

CytP450. Un vrai gage de sécurité ! De plus, ce complexe d'origine naturelle a donné des résultats particulièrement intéressants en matière de capacité de neutralisation (chélation)[76] et d'optimisation de l'élimination des métaux lourds et autres contaminants chez des sujets polyintoxiqués[77].

L'INTERACTION PHARMACODYNAMIQUE

Synergie ou au contraire antagonisme avec l'action du médicament

Certains ingrédients naturels peuvent présenter des effets physiologiques plus ou moins importants. S'ils sont pris en même temps que des médicaments, le risque est alors que les effets des deux produits s'annulent (antagonisme) ou au contraire s'additionnent (synergie). Voici quelques exemples parmi d'autres.

L'ail *(Allium sativum)*. Nous avons vu dans le chapitre sur l'efficacité des compléments alimentaires ses propriétés intéressantes sur la circulation sanguine et sur la tension artérielle.
Plusieurs études rapportent une augmentation par l'ail de l'indice de fluidité sanguine (INR) chez des patients sous anticoagulants par voie orale (AVK) et stabilisés[78].

Dans le cas présent, il y a augmentation possible du risque de saignement par l'addition des effets pharmacologiques entre les extraits d'ail et les AVK.
D'où la mention « Déconseillé chez les personnes sous traitement anticoagulant », normalement obligatoire sur l'étiquetage d'un complément alimentaire à base d'ail.

Le gingembre possède des propriétés similaires. Le rhizome de cette plante est utilisé traditionnellement pour soulager les nausées (mal des transports, effet indésirable de chimiothérapie ou de grossesse).

Sa partie huile essentielle contient des molécules phénoliques aux propriétés fluidifiantes sur le sang[79]. Il est donc préférable de demander conseil à un professionnel de santé en cas de prise concomitante d'anticoagulants ou antiagrégants plaquettaires.

Le millepertuis est probablement la plante présentant le plus d'interactions avec les médicaments.

De par son action sur le système nerveux, le millepertuis agit en synergie avec les antidépresseurs de la famille des inhibiteurs sélectifs de la recapture de la sérotonine (ISRS) comme la fluoxétine, la paroxétine et la sertraline[80]. Ses effets s'ajoutent également à ceux d'autres antidépresseurs et anxiolytiques qui jouent sur la sérotonine, un neurotransmetteur. Cela peut conduire à une accumulation de ce neurotransmetteur au niveau cérébral et déclencher un syndrome sérotoninergique. Ce dernier se traduit par une rigidité musculaire, une agitation, des secousses musculaires involontaires brèves et soudaines (myoclonies), une dérégulation du système nerveux autonome (hyperréflexie) contrôlant des fonctions physiologiques dont nous n'avons pas conscience (tension artérielle, température corporelle, contraction des muscles, transit intestinal), des troubles du comportement ou encore une hyperthermie. Les conséquences peuvent être sévères, allant jusqu'au coma.

Le ginseng *(Panax ginseng)* est traditionnellement utilisé dans les états de fatigue ou en cas de faiblesse. C'est un tonique dont certains font usage pour tenter d'améliorer leur vitalité sexuelle.

Ses principes actifs, les ginsenosides, ont des actions larges sur l'oxydation, sur l'inflammation, sur la régulation de l'insuline et sur l'absorption du glucose au niveau des tissus[81]. Le risque d'hypoglycémie est donc bien présent lorsque des médicaments antidiabétiques et le ginseng sont pris de façon simultanée. Les compléments alimentaires à base de ginseng doivent impérativement porter la mention suivante sur leur étique-

tage : « L'emploi chez les personnes sous traitement antidiabétique est déconseillé ».

La racine d'harpagophytum est traditionnellement utilisée en cas de douleurs articulaires, de tendinites ou encore de foulures. Elle a aussi été utilisée pour stimuler l'appétit et limiter l'inconfort gastrique en favorisant la digestion. Ses composés actifs, principalement les iridoïdes comme l'harpagoside, ont un goût amer qui stimule les papilles gustatives. Ces dernières signalent alors à l'estomac qu'il est nécessaire de produire des sucs gastriques pour faciliter la digestion.

L'étiquetage des compléments alimentaires à base d'harpagophytum doit donc impérativement porter la mention suivante : « L'emploi est déconseillé en cas d'ulcères (estomac ou duodénum) ou de calculs biliaires ».

La réglisse. En plus de ses effets sur l'assimilation des médicaments, la réglisse agit sur la rétention d'eau, en la favorisant. Ce faisant, elle s'oppose aux effets des antihypertenseurs sur la pression sanguine[82].

Il est nécessaire de respecter certaines règles de sécurité quand vous associez médicaments et compléments. Il convient notamment d'informer systématiquement votre médecin de la prise de compléments alimentaires. Un médecin « ouvert » ne déconseillera pas obligatoirement leur usage, il s'assurera surtout que leur prise est compatible avec celle des médicaments prescrits, en fonction de leur composition et de vos antécédents.

Le saviez-vous ?

Plusieurs sites répertorient les contre-indications possibles ou avérées des compléments alimentaires, entre eux ou avec des médicaments.

Le plus connu est Passeport Santé (un site internet canadien à l'origine)[83] et sa rubrique « Produits de santé naturelle ». Un autre site, édité par la Fondation contre le Cancer belge, recense également de nombreuses interactions[84].

Dans tous les cas, ces informations ne dispensent pas d'en parler avec son professionnel de santé ou d'interroger les laboratoires, qui sont censés tenir à jour l'historique des effets indésirables ou des interactions connues de leurs produits.

Interactions alimentaires

De la même façon que certains nutriments interfèrent avec l'assimilation ou l'action de substances médicamenteuses, ils peuvent également perturber la façon dont notre organisme peut absorber ou assimiler les autres nutriments.

Le fer. Certains compléments alimentaires permettent de lutter contre la carence en fer. Soit en apportant du fer à l'organisme, soit en favorisant son absorption, soit en aidant à lutter contre les symptômes liés à la carence (fatigue chronique).

Citons l'exemple d'une dame qui présentait une anémie liée à une carence en fer. Elle avait essayé sans succès plusieurs compléments alimentaires à base de fer. Elle buvait sept à huit tasses de thé dans la journée, notamment aux principaux repas. Or les tanins et les polyphénols du thé inhibent l'absorption intestinale de l'élément fer[85], d'où les conseils généraux d'espacer la prise de thé des repas (1 heure à 1h30 d'écart) afin de favoriser l'assimilation de ce minéral apporté par la ration alimentaire, surtout chez les sujets présentant un taux de fer non optimal.

Son praticien lui conseilla de s'intéresser aux formes bisglycinates qui sont deux à trois fois mieux assimilées que les formes classiques.

Le bisglycinate de fer est tout à fait pertinent pour remonter efficacement les taux de ferritine (réserve de fer dans l'organisme), d'hémoglobine (protéine fixant l'oxygène dans les globules rouges) ainsi que le volume globulaire moyen (la taille des globules rouges)[86].

Les anti-nutriments, leurs sources alimentaires et leurs conséquences potentielles

Anti-nutriment	Source alimentaire	Implication
Lectines	Légumes, céréales, graines, noix, fruits	Fonction intestinale altérée Inflammation
Oxalates	Épinards, oseille, betteraves, rhubarbe, légumes, céréales, pommes de terre	Inhibition de l'assimilation de calcium Augmentation du risque de calculs rénaux calciques
Phytates	Légumes, céréales, pseudo-céréales, graines, noix	Inhibition de l'absorption de fer, de zinc et de calcium
Goitrogènes	Crucifères, millet, manioc	Hypothyroïdisme, goitre Inhibition de l'absorption d'iode
Phytoestrogènes	Soja et dérivés, graines de lin, trèfle rouge, noix	Perturbation endocrinienne Cancer hormono-dépendant
Tanins	Thé, cacao, raisin, baies, fruits à noyaux, pommes, noix, céréales complètes	Inhibition de l'assimilation de fer Réduction des stocks de fer

Source : Petroski W et al. Nutrients 2020, 12, 2929

Il existe aussi un type de molécules, appelées « anti-nutriments », naturellement présentes dans les plantes, qui exhibent des interactions complexes et très variées avec les autres nutriments.
Elles ont la particularité de modifier l'assimilation de certaines vitamines, minéraux et oligo-éléments. Elles peuvent présenter un intérêt bénéfique pour notre santé, mais certaines d'entre elles sont également capables d'interagir négativement sur notre fonctionnement métabolique.

La façon de préparer les denrées alimentaires (cuisson, fermentation, extraction/concentration) a un impact sur la dégradation ou non de ces anti-nutriments, ce qui rend délicat toute extrapolation d'un effet clair à tel aliment ou tel extrait végétal.

Il convient d'avoir à l'esprit cet effet potentiel de certains aliments, mais il n'est pas nécessaire de s'en inquiéter dans le cadre d'une consommation raisonnable. D'autant plus qu'il est maintenant parfaitement reconnu que la consommation de fruits et de légumes est globalement bénéfique pour la santé, tant en prévention qu'en réduction de risques.

Bon à savoir. À l'inverse des tanins présents dans le thé, la vitamine C améliore l'assimilation du fer. Et la vitamine D améliore l'absorption intestinale du calcium.

D'une manière générale, les minéraux font preuve de nombreuses interactions négatives entre eux.
En effet, lorsqu'ils sont en solution dans notre estomac, ils se présentent sous forme ionisée, le plus souvent en tant que cations divalents (Fe^{2+} pour le fer, Zn^{2+} pour le zinc, Mg^{2+} pour le magnésium, Mn^{2+} pour le manganèse, Ca^{2+} pour le calcium, Cu^{2+} pour le cuivre, etc.).

Ces formes électriquement chargées ont tendance à irriter la muqueuse gastrique lorsqu'elles sont présentes en grande quantité dans l'estomac, ce qui explique pourquoi certains consommateurs ont du mal à tolérer les compléments alimentaires à base de minéraux sous des formes classiques (chlorure, sulfate, oxyde…).

De plus, ces cations entrent en compétition entre eux au niveau de l'intestin pour être assimilés puis, plus tard, au niveau cellulaire pour y entrer. Ce qui souligne l'intérêt de procéder généralement à une supplémentation très ciblée avec tel ou tel minéral ou oligo-élément, plutôt que de prendre un complexe multiminéral, surtout s'il est très dosé en éléments.

Il est à noter que le problème ne se pose pas avec les formes bisglycinates, car elles sont neutres (les minéraux sont chélatés et non plus ionisés).

Le chitosan fait partie des nutriments avec lesquels il convient d'être vigilant. Cette fibre, à l'origine issue de la carapace des crustacés, peut être obtenue après modification chimique et/ou enzymatique de la paroi des champignons.

De par sa structure moléculaire, le chitosan est capable de former un gel. Celui-ci peut être protecteur au niveau gastrique ou « piégeur » de graisses au niveau de l'intestin. C'est pourquoi le chitosan est généralement conseillé pour limiter la prise de poids en empêchant l'assimilation des lipides apportés par un repas.

Le revers de la médaille est que, par ses capacités de fixation des lipides, le chitosan peut également neutraliser les vitamines liposolubles et, de ce fait, favoriser ou amplifier certaines carences en vitamines s'il est pris au long cours[87].

D'autres études ont également montré que le chitosan perturbe l'assimilation de certains minéraux et oligo-éléments[88].

Contre-indications particulières

"Primum non nocere" (d'abord, ne pas faire de mal)

Vous n'imaginez pas le nombre de consommateurs qui achètent des compléments alimentaires pour ensuite les rapporter au point de vente, car ils s'aperçoivent qu'ils sont tout simplement allergiques à l'un des constituants !

En premier lieu, il convient donc de bien lire l'étiquette d'un complément alimentaire. Rappelez-vous que les fabricants ont l'obligation de mentionner la liste des ingrédients, notamment ceux qui sont allergènes, ainsi que toute contre-indication ou point de vigilance envers un ingrédient ou une certaine catégorie de personnes (femmes enceintes, enfants, patients sous traitement, etc.).

Toujours pour des raisons d'allergies, certains produits de la ruche (gelée royale, pollen, propolis) sont déconseillés aux enfants en bas âge ainsi qu'aux personnes asthmatiques ou prédisposées à l'allergie[89]. Il est également fortement recommandé de ne pas donner de miel à un enfant de moins d'un an[90]. En effet, des spores de la bactérie responsable du botulisme peuvent se retrouver naturellement dans le miel. Or le système immunitaire des nourrissons est encore immature et il ne peut pas complètement venir à bout des spores de cette bactérie. Celle-ci produit alors la toxine botulique au niveau intestinal, ce qui peut être grave pour le nourrisson.

Les phyto-œstrogènes, comme nous l'avons vu dans la partie précédente, sont des anti-nutriments, capables d'exercer des effets similaires à nos hormones (action œstrogénique) ou bien inverses (action anti-œstrogénique).

De ce fait, la consommation de compléments alimentaires visant la ménopause et basés sur des extraits riches en phyto-œstrogènes (soja, lin, trèfle rouge) est déconseillée chez les personnes ayant eu un cancer hormono-dépendant (sein ou utérus) ou ayant un historique familial de cancer du sein (sensibilité possible)[91].

Toutefois, des études récentes ne parviennent pas à cette conclusion et suggèrent même un potentiel anticancéreux prometteur pour les phyto-œstrogènes[92].

Les algues sont de très bonnes sources naturelles de nutriments, spécialement d'iode. Selon leur provenance et les méthodes de transformation ou de préparation employées, l'apport en iode peut être très variable et peut poser un problème chez les femmes enceintes, les personnes sous traitement pour la thyroïde, ou encore chez celles présentant un dysfonctionnement thyroïdien, une maladie cardiaque ou une insuffisance rénale[93].

Il convient de se tourner vers des produits dont la teneur en iode est, d'une part, clairement indiquée sur l'étiquetage et, d'autre part, régulièrement vérifiée et contrôlée par le laboratoire commercialisant ces produits afin d'éviter tout surdosage involontaire.

La levure de riz rouge est un ingrédient connu pour ses propriétés bénéfiques dans le maintien d'un taux de cholestérol normal. Cette moisissure produit notamment des molécules particulières, les monacolines, dont ont été tirées les premières statines (la lovastatine, par exemple).

Pas étonnant, donc, que la levure de riz rouge soit très prisée par ceux qui veulent limiter naturellement leur taux de cholestérol. Il s'agit ni plus ni moins d'une statine naturelle, mais aux effets secondaires largement amoindris au niveau musculaire par rapport aux médicaments dans la mesure où elle est moins dosée (3 mg pour la levure de riz rouge contre 20 à 40 mg pour la lovastatine).

La levure de riz rouge est déconseillée aux patients dits « intolérants aux statines », aux femmes enceintes ou allaitantes, aux enfants et adolescents, aux sujets de plus de 70 ans ou atteints de certaines pathologies, ou encore aux forts consommateurs de pamplemousse (interaction pharmacocinétique)[94].

L'industrie pharmaceutique ne s'y est pas trompée et a fait un lobbying intense pour réussir à faire inscrire par l'EFSA cette levure de riz rouge sur la liste des substances faisant l'objet de restrictions[95].

Il ne sera donc plus possible de trouver un complément alimentaire apportant plus de 3 mg de monacoline K issue de la levure de riz rouge, ce qui devrait limiter leur intérêt.

Les extraits d'orange amère *(Citrus aurantium ssp. Aurantium)* ont défrayé la chronique dans le domaine de la minceur, à cause de la présence en quantité variable de p-synéphrine (de 1,3 à 40 %, selon les extraits).

Cet alcaloïde agit sur l'augmentation de la tension artérielle, sur la dilatation des pupilles et des bronches ainsi que sur la constriction des vaisseaux sanguins périphériques. Son utilisation dans les compléments alimentaires réside dans son prétendu effet thermogénique (brûleur de graisse) où il y est souvent associé à la caféine.

Or, étant donné la similarité d'action entre l'éphédrine (alcaloïde décongestionnant proche des amphétamines) et la synéphrine, l'association caféine/extrait d'orange amère peut causer des troubles cardiovasculaires potentiellement graves[96].

Ainsi, l'ANSES déconseille fortement la consommation de p-synéphrine aux personnes sous traitement, en particulier pour hypertension, cardiopathie ou dépression, aux femmes enceintes ou allaitantes ainsi qu'aux enfants et adolescents[97].

Il est également fortement déconseillé de consommer ce type de produit lors d'une activité physique, en raison d'effets négatifs éventuels sur le profil tensionnel.

Enfin, la quantité ingérée de p-synéphrine ne doit pas dépasser 20 mg par dose journalière recommandée. Cela correspond à la quantité de synéphrine que les plus gros consommateurs d'agrumes absorbent quotidiennement sans danger.

Vitamine A, E et sélénium. Malgré tout ce qu'on peut lire sur Internet, il n'y a pas de risque à consommer des quantités physiologiques (inférieures ou égales aux ANR) de vitamine A, de vitamine E ou encore de sélénium.

En effet, l'étude SELECT ayant mis en évidence des effets délétères de ces nutriments sur le risque de développer un cancer des poumons ou encore de la prostate a été réalisée aux États-Unis avec des doses très élevées[98] :

- 200 µg par jour pour le sélénium (DJM en France = 50 µg) ;
- 270 mg par jour de vitamine E (DJM = 30 mg).

De plus, la supplémentation a été faite sur une durée de sept ans, sans pause dans la cure, ce qui n'est pas la façon habituelle de procéder pour ce type de nutriments.

De façon générale, rappelez-vous que les compléments alimentaires viennent en soutien de l'alimentation et pour des périodes courtes (quelques semaines à quelques mois tout au plus si aucune pause n'est effectuée entre chaque cure). Voilà qui vérifie encore le fameux adage « Ni trop, ni trop peu ».
N'hésitez pas à demander l'avis de votre praticien qui pourra vous orienter et s'assurer que, dans votre cas, la prise de compléments alimentaires est liée à une absence de contre-indications et à une sécurité d'emploi.

Traçabilité & Qualité

"Prudence est mère de sûreté"

Dans le domaine des compléments alimentaires, toute entreprise doit avoir défini et mis en place une politique de sécurité, de qualité et de traçabilité vis-à-vis de ses produits.

Une partie de cette politique a été abordée dans le chapitre sur la fabrication des compléments alimentaires. Elle s'appuie globalement sur les quatre notions essentielles suivantes :
- La prévention des risques (méthode HACCP).
- La mise en place d'un système Qualité.
- Une documentation technique complète.
- Un outil de veille sur la sécurité des produits de l'entreprise et du marché en général.

La méthode HACCP consiste en une analyse exhaustive des risques susceptibles de survenir, depuis la conception des produits jusqu'à leur utilisation par les consommateurs. Cela permet d'anticiper les problèmes et d'apporter des mesures proactives de maîtrise des risques, mais aussi de surveillance d'étapes critiques (par exemple, la mise en gélules sous azote de l'ubiquinol).

Le système Qualité se traduit concrètement par la rédaction d'une documentation reprenant de façon non exhaustive :
- Les procédures (étude HACCP, Hygiène & Sécurité, Achats...) ;
- Les processus Produits (toutes les étapes de la matière première au produit fini) ou encore Entreprise (organigramme, missions des collaborateurs, matrice de management RACI...) ;
- Les instructions (par exemple, comment prendre les commandes, gérer le stock tampon, le retour de produits finis, le relevé de température et d'hygrométrie dans l'entrepôt de stockage...) ;
- Les documents d'enregistrement ou canevas (fiche de contrôle d'un étiquetage en vue d'une impression, fiche de réclamation auprès d'un fournisseur, fiche d'audit d'un façonnier...).

La documentation technique comporte deux types d'éléments d'information.

1. Les matières premières entrant dans la composition d'un complément alimentaire, mais aussi les articles de conditionnement (étiquettes, étuis, piluliers, blisters, sachets...). Pour ces derniers, des documents prouvant l'aptitude de l'article de conditionnement au contact alimentaire sont primordiaux : certificat d'alimentarité, essais de migration de substances à partir de matériaux vers le complément stocké dedans...

Cette documentation compile également toutes les pièces justificatives à tenir à disposition des autorités concernant les allégations indiquées sur l'étiquetage, pour être conforme à l'arrêté du 24 juin 2014[99] dit « arrêté Plantes ».

2. Un dossier de lot pour chaque fabrication réalisée, reprenant tous les éléments nécessaires à une traçabilité complète, des matières premières jusqu'au produit fini. Ce dossier doit être constitué des pièces suivantes.

- Factures d'achat et bulletin d'analyse des matières premières.
- Détails de la formulation et quantité de matières engagées.
- Détails des opérations (mélange des ingrédients, mise en gélules/comprimés, conditionnement en piluliers ou en blisters...).
- Pesées réalisées en cours de fabrication pour vérifier que le poids des gélules/comprimés est conforme (traçabilité à l'aide de tickets de pesée).
- Quantité de produit fini obtenu et de reliquats de matières premières pour calcul des rendements et contrôle.
- Bulletin de contrôle et d'analyse du produit fini permettant sa libération et sa vente.

Vous trouverez, page suivante, un exemple de test d'identification concernant une matière première vendue comme étant de la prêle. Comme nous avons pu le voir dans la partie sur les adultérations, il est important ici de s'assurer que la matière première qui va être utilisée en production correspond bien à l'espèce prêle des champs et non à la prêle des marais qui est toxique. Dans le cas présent, cette analyse doit figurer dans la documentation technique de la matière première et correspond à un risque normalement identifié par l'étude HACCP.

Chromatographie sur couche mince de différentes matières premières de prêles *(Equisetum)*.

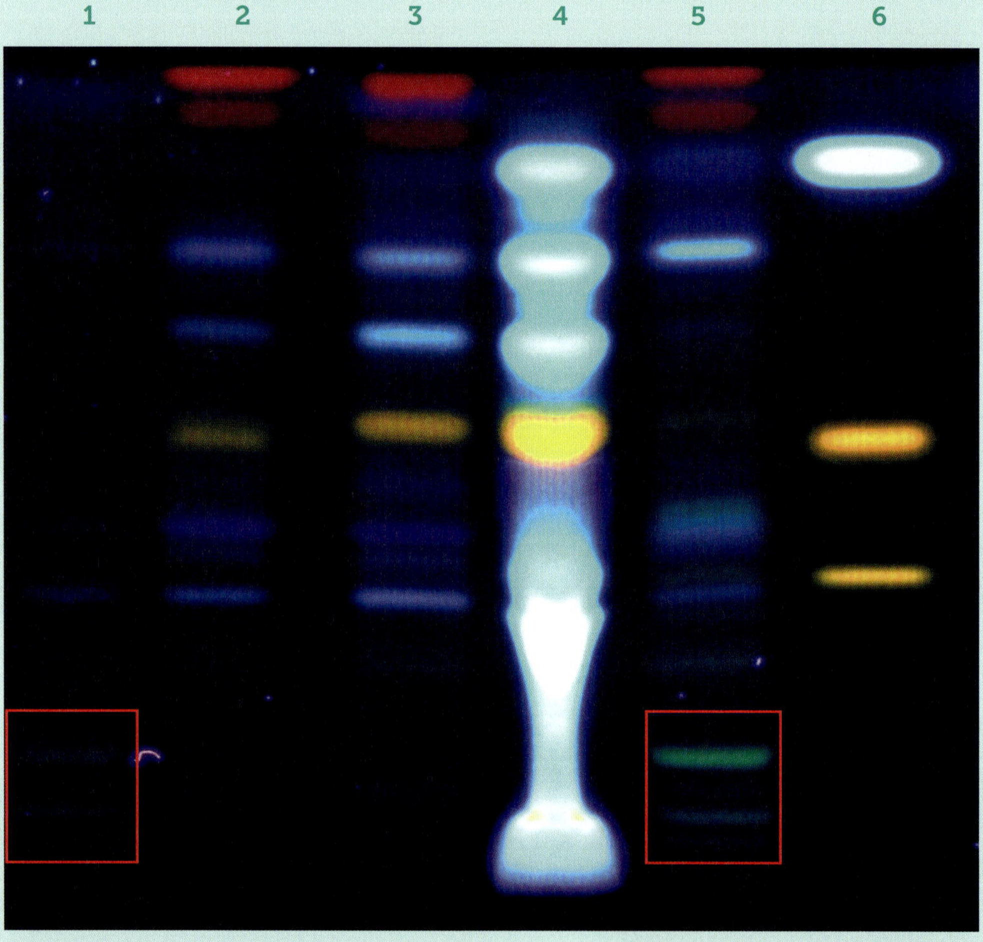

Témoin *Equisetum palustre* (1)
Témoin *Equisetum arvense* (2)
Matière première de prêle à l'essai (3)
Extrait aqueux de la prêle à l'essai (4)
Prêle non conforme (5)
Témoin des flavonoïdes de référence (6)

Source : avec l'aimable autorisation des Laboratoires Le Stum (56)

Regardons les résultats de cette identification en détail. La technique employée est une chromatographie sur couche mince, qui consiste à déposer sur une plaque plusieurs échantillons préparés au préalable. Les composés présents dans ces différents échantillons sont entraînés sur la plaque (ici, un gel de silice) par un mélange de solvants organiques et sont ainsi séparés selon leurs spécificités (taille, solubilité dans les solvants...). Un colorant réactif aux UV présent sur la plaque permet de révéler, après illumination, les différents composés séparés qui forment alors des bandes, de diverses couleurs.

Des standards de référence, achetés auprès de fournisseurs certifiant leur origine, permettent d'avoir une vision précise des composés attendus lors de la séparation. Ici, l'échantillon n° 1 correspond à un standard de prêle des marais *(Equisetum palustre)*. Celle-ci se caractérise par des bandes vertes présentes en bas de l'image (visualisées par un cadre rouge sur l'image). L'échantillon n° 2 correspond à la référence de prêle des champs *(Equisetum arvense)* qui ne présente aucune bande verte en bas de l'image. L'échantillon n° 6 représente trois flavonoïdes caractéristiques que sont l'acide caféique, l'hyperoside et le rutoside. Ces trois bandes servent de référentiel au positionnement attendu des bandes des échantillons de prêle à analyser, telles que décrites dans la Pharmacopée européenne (PhE)[100].
Si toutes les bandes de la matière végétale à l'essai sont similaires à la description faite dans la PhE, alors il s'agit effectivement de prêle des champs.
Dans l'analyse présentée, nous cherchions à déterminer si l'échantillon n° 3 était bien de la prêle des champs. Si l'on compare la colonne 2 (témoin *Equisetum arvense*) et la colonne 3, on remarque que les profils de bandes sont identiques. De plus, par rapport à la colonne 6, les différentes bandes de couleur sont exactement à la position indiquée dans la PhE. Il s'agit donc bien de prêle des champs.

Maintenant, comment être sûr qu'elle n'est pas adultérée par de la prêle des marais ?
Tout simplement en vérifiant si les bandes vertes caractéristiques de prêle *Equisetum palustre* (colonne n° 1) ne sont pas présentes dans l'échantillon 3.
L'échantillon 4 correspond à un extrait réalisé à partir de la matière première n° 3. Il a fallu 6 kg de plante pour obtenir 1 kg d'extrait. Les composés d'intérêt de la prêle de départ ont donc été concentrés dans l'extrait, ce qui explique que les bandes colorées sont plus brillantes dans la colonne 4 que dans la colonne 3.
À titre d'illustration, l'échantillon 5 correspond à une matière première non conforme, car il présente les bandes vertes

caractéristiques de *Equisetum palustre*. Il s'agit donc probablement d'un mélange *Equisetum arvense* + *Equisetum palustre* puisqu'il présente à la fois des bandes des profils 1 et 2.

Au-delà de ces contrôles qualité de routine, les laboratoires doivent également être capables de tracer les ventes de n'importe lequel de leurs produits : à qui ? Quand ? Quel(s) complément(s) et quel(s) numéro(s) de lot ?

Cette traçabilité est nécessaire pour mener à bien des enquêtes complémentaires (plusieurs clients ont-ils rapporté des effets secondaires d'un même lot de produits ?) ou pour rappeler, au besoin, un lot de complément alimentaire en cas de problème avéré (clients à contacter un par un).

Tous les éléments que nous venons de voir forment cette fameuse documentation technique. Celle-ci est notamment demandée par les centres antipoison ou par l'ANSES à la moindre alerte sur un complément alimentaire.

La veille Qualité permet d'anticiper des problèmes liés aux ingrédients.

Rappelez-vous que de très nombreux acteurs commandent leurs produits à des façonniers, qui eux-mêmes s'approvisionnent chez des fournisseurs d'ingrédients. Cela engendre au final une diversité plutôt restreinte d'ingrédients, qui sont potentiellement présents dans de très nombreux compléments alimentaires du marché. Ainsi, lorsqu'un problème sanitaire survient avec l'un de ces ingrédients, de très nombreuses entreprises sont impactées, démultipliant de fait le nombre de consommateurs touchés.

Vous avez pu le voir récemment avec les problèmes liés à la présence accidentelle d'oxyde d'éthylène dans certaines matières premières. L'oxyde d'éthylène est un gaz utilisé sur les graines et les épices pour tuer bactéries, champignons et salmonelles. Il est classé comme agent cancérogène, mutagène et reprotoxique et son utilisation est interdite dans l'UE depuis 2011 (mais pas dans les autres pays du monde). Ainsi, il est régulièrement utilisé dans certains pays d'Asie pour « nettoyer » les denrées alimentaires un peu trop « chargées » en bactéries, ou encore pour désinfecter les conteneurs dans lesquels les denrées sont acheminées vers l'Europe. Dès lors, certains ingrédients importés sont susceptibles de présenter des traces d'oxyde d'éthylène, ce qui pose un problème de santé publique.

À la date du 17 décembre 2021, il y avait ainsi 15 529 lots de produits alimentaires concernés par ce problème d'oxyde d'éthylène, dont 316 compléments alimentaires[101].

Le saviez-vous ?

L'Union européenne a mis en place une plateforme d'alerte (uniquement en anglais, malheureusement) dont le but est de faire circuler l'information sur les risques sanitaires liés aux aliments (alimentation humaine ou animale).
Les informations de cette plateforme RASFF[102] peuvent entraîner le rappel de produits sur le marché.
Depuis avril 2021, il existe également un site internet unique, Rappel Conso[103], recensant tous les produits finis alimentaires ayant fait l'objet d'un rappel pour cause sanitaire.
N'hésitez pas à consulter régulièrement ces deux références pour vous tenir informés, surtout ou en cas de doute sur un produit.

Chaque acteur du secteur des compléments alimentaires se doit de conserver, dans une échantillothèque interne, des échantillons de chaque lot de produit fini dans son emballage commercial pour une durée égale à la DDM plus un an.

Ces échantillons doivent être disponibles en quantité suffisante pour pouvoir mener à bien d'éventuelles vérifications et analyses contradictoires en cas de souci avec un lot du produit fini.

La responsabilité juridique primaire de veiller à la sécurité des compléments alimentaires incombe aux laboratoires qui les mettent sur le marché[104].

L'objectif est donc de s'assurer par toute une batterie d'analyses que les compléments fabriqués sont conformes aux différentes réglementations européennes.

Les risques sanitaires les plus couramment rencontrés

	Éléments à considérer	Produits concernés
SÉCURITÉ	Bactériologiques	Tous produits
	Éléments traces métalliques (plomb, mercure...)	Tous produits (surtout issus de la mer)
	Organochlorés (PCB/Dioxines)	Produits contenant des lipides (surtout les sources animales et marines)
	Mycotoxines	Produits à base de plantes principalement
	Pesticides	Tous produits (surtout issus de plantes)
	Hydrocarbures aromatiques polycycliques	Tous produits
	Alcaloïdes pyrrolizidiniques	Plantes principalement
	Oxyde d'éthylène	Tous produits
	Allergènes (gluten, sulfites...)	Tous produits
	Produits phytosanitaires (diflubenzuron...)	Produits de l'aquaculture
	Citrinine (mycotoxine)	Levure de riz rouge
	Mélanine	Tous produits
	Substances dopantes	Tous produits (surtout ceux pour sportifs)
QUALITÉ	Vitamines	Produits avec allégations de santé et/ou nutritionnelles
	Minéraux	
	Lipides	
	Substances à but physiologique (curcumine, CoQ10...)	

Certaines de ces analyses sont très coûteuses et les prix varient de 40 euros, pour une analyse bactériologique de routine, à 600 euros pour une recherche de substances dopantes dans un complément alimentaire (plus de 200 molécules sont recherchées dans ces tests).

Pour un laboratoire qui a une gamme restreinte, le budget analyses reste encore gérable, mais pour un acteur qui a plusieurs centaines de compléments alimentaires au catalogue, cela devient tout simplement impossible. Dans la majorité des cas, les industriels procèdent donc selon un plan de contrôle analytique de leurs produits. Ces derniers ne sont pas systématiquement analysés, mais plutôt selon la fréquence de production, la nature et la provenance des ingrédients ou encore de façon annuelle.

L'idée est d'avoir une vision globale de la conformité des denrées alimentaires vis-à-vis des critères sanitaires et de prendre, si besoin, les mesures nécessaires pour corriger le problème (du rejet de l'ingrédient avant fabrication jusqu'au rappel du lot commercialisé).

Pour des raisons purement économiques, certains sont tentés de se réfugier derrière les bulletins d'analyse de leurs fournisseurs pour se dédouaner de ces opérations coûteuses, mais par expérience ces documents n'offrent pas toujours toutes les garanties de sécurité. Pour une entreprise du complément alimentaire qui se veut et se dit sérieuse, il convient de procéder à des autocontrôles réguliers afin de s'assurer de la qualité et de la sécurité des matières premières et des produits finis qu'elle travaille.

Les laboratoires les plus exigeants iront même plus loin en anticipant d'éventuels risques non encadrés par la réglementation. Dans mon expérience, j'ai le souvenir notamment d'une analyse pour vérifier l'origine vraiment naturelle de la vitamine C présente dans un extrait de fruit (coût 400 €) ou encore d'une analyse pour vérifier si une matière première marine ne contenait pas une neurotoxine potentiellement présente dans les fruits de mer et, par accumulation, dans certains poissons (300 € l'analyse tout de même).

Mais la sécurité des consommateurs n'a pas de prix pour ces quelques acteurs intransigeants quant à la qualité de leurs produits.

Ainsi, d'un point de vue de la sécurité alimentaire, le marché des compléments est davantage contrôlé que les aliments que vous trouvez dans les commerces de bouche.

Personne ne demande une analyse bactériologique à son vendeur habituel de fruits et légumes pas plus qu'une analyse de contaminants à son poissonnier !

Enfin, les laboratoires doivent enregistrer les éventuels retours négatifs émis par leurs clients.

Ils ont en effet une obligation de signalement auprès des autorités compétentes des risques présentés par les produits qu'ils mettent sur le marché. Après recueil d'informations détaillées auprès du client, si le risque est avéré et imputable à son complément alimentaire, l'entreprise informe la DGCCRF des mesures prises pour écarter ce risque. Cela peut même aller jusqu'à un rappel du produit incriminé si cela est nécessaire, afin d'assurer la sécurité des consommateurs.

Du côté des professionnels de santé, le décret 2010-688 du 23 juin 2010[105] a par ailleurs institué la mise en place d'un système de nutrivigilance[106]. L'objectif premier de ce dispositif est d'augmenter la sécurité des consommateurs en identifiant rapidement les effets indésirables liés à la prise de certains compléments alimentaires. Cela permet à la DGCCRF et à l'ANSES de recommander la mise en place de mesures préventives ou correctives aux entreprises concernées.

Provenance des compléments alimentaires

Les compléments alimentaires sont en vente libre. À ce titre, ils sont largement distribués sur Internet, en pharmacies et parapharmacies, dans les magasins diététiques et spécialisés, en grandes surfaces ou encore dans certains clubs de sport (pour les compléments à visée minceur ainsi que pour l'effort, la récupération ou encore la prise de muscles).

En tant que consommateur et consommatrice, vous êtes généralement noyés devant l'abondance de l'offre et vous ne savez bien souvent pas sur quels critères vous appuyer pour orienter votre choix.

COMMENT CHOISIR ET OÙ SE FOURNIR ?

Plusieurs possibilités s'offrent en général à vous pour sélectionner un complément alimentaire.

Sur recommandation

Vous bénéficiez de la recommandation d'un praticien de santé ou d'un proche pour tel ou tel produit.

Dans ce cas, l'idéal est de vous adresser directement au laboratoire qui fabrique le complément vanté, sans passer par des plateformes intermédiaires. La plupart proposent un espace de vente en ligne. L'authenticité des produits est ainsi garantie et il est possible de poser des questions directement au laboratoire. Celui-ci doit être en mesure de vous apporter des réponses précises et sourcées (n'hésitez pas à les challenger en vous appuyant sur les conseils de ce livre).

Certains acteurs choisissent le réseau des pharmacies pour distribuer leurs produits. L'avantage est alors de pouvoir acheter le produit recherché sans attendre. Mais le risque de substitution n'est pas négligeable : certains consommateurs se plaignent ainsi parfois, à propos d'un complément alimentaire conseillé, de ne ressentir aucun des bénéfices avancés par le praticien de santé. Après enquête, il se trouve généralement que ces personnes ont reçu un autre produit à la place (substitution), ce qui peut constituer une différence plus ou moins importante par rapport au résultat attendu.

Sur Internet

Vous avez lu un article de professionnel ou des avis de consommateurs en ligne à propos d'un produit.

Là encore, mieux vaut acheter directement à la source, auprès du laboratoire. Vous bénéficierez de ses précieux conseils et d'une garantie que le complément alimentaire recherché n'est pas une fin de lot déstockée sur des plateformes spécialisées.

En grande surface

Vous profitez de faire vos courses ou du shopping pour acheter des compléments alimentaires.

Dans les grandes surfaces, vous ne bénéficierez d'aucun conseil.
De plus, les tarifs des compléments alimentaires vendus y sont plutôt bas, pour attirer les clients, mais ils riment difficilement avec des ingrédients premium. En effet, si l'on tient compte de la marge de l'enseigne, de celle du fabricant et du prix des éléments hors ingrédients actifs servant à fabriquer le produit (étui, étiquette, pilulier ou blister, gélules ou comprimés), la part du prix allouée aux ingrédients actifs est très faible (moins d'un euro en général). C'est pour cette raison que vous retrouvez souvent en grandes surfaces des produits minimalistes dans leur conception (vitamines, minéraux, ingrédient unique).

En pharmacie

Vous pouvez vous rendre en pharmacie ou dans des boutiques spécialisées pour bénéficier de conseils.

Certains vous diront qu'il s'agit de la voie à privilégier. Pourtant, pharmacies et parapharmacies ne représentent que 50 % des ventes de compléments alimentaires, en recul régulier depuis quelques années.

De nombreux consommateurs rapportent « qu'acheter en pharmacie est un gage de sérieux et de qualité ».
Par curiosité professionnelle, il m'arrive de jouer le client mystère dans les magasins bio ou dans certaines pharmacies. Je pose des questions anodines pour obtenir des conseils et voir quels produits me sont proposés. Force est de constater que la qualité du conseil est très aléatoire. Il y a beaucoup d'inexactitudes dans les recommandations données sur les compléments alimentaires ou de réponses qui n'abordent pas les points pourtant essentiels dans le choix d'un bon complément.

Omega
150

Ce constat a d'ailleurs été l'un des moteurs de la rédaction de cet ouvrage.

En dépit de quelques personnes bien informées sur les qualités des produits, beaucoup de pharmacies se contentent de suivre la demande et de revendre les spécialités achetées auprès des laboratoires.
Contrairement aux médicaments remboursés dont les prix sont fixés par l'Assurance maladie, les tarifs des compléments alimentaires (non remboursés) sont libres en France. Ils varient selon l'établissement, la région, la ville, voire le quartier. De même que le prix d'une eau gazeuse n'est assurément pas le même dans un bar sympathique d'un magnifique petit village de l'Aveyron que dans une brasserie sur les Champs-Élysées...
Mais le choix vous appartient.

En fonction d'un courrier ou d'un courriel reçu

Vous recevez régulièrement des courriers ou des e-mails non sollicités vantant les mérites d'un produit.

Dans ce cas, la prudence est de mise. Je reçois énormément de courriels non sollicités de la part de laboratoires qui sont, de façon étrange, implantés hors de France, principalement en Suisse (donc hors UE). Ces laboratoires achètent des listes d'adresses postales ou électroniques pour faire la promotion de produits[107], souvent de façon racoleuse, comme nous le verrons dans la partie suivante.

Méfiez-vous également des nombreux appels à signer des pétitions ou encore lorsqu'on vous promet un envoi gratuit de compléments alimentaires (souvent un flacon de vitamine D3), moyennant le renseignement de données personnelles. L'objectif de ces organisations est évidemment de collecter puis de vendre vos données pour faire de l'argent et non par intérêt pour votre santé.

Communication autour du produit

Nous avons vu, à propos de la réglementation, que la communication autour des compléments alimentaires est censée être bien encadrée, notamment au niveau des allégations de santé et des allégations thérapeutiques. Cela n'empêche pas certains acteurs de recourir à de nombreuses ficelles pour attirer des prospects et leur faire croire que leurs produits sont meilleurs que les autres.

Pour illustrer mon propos, je vais me contenter de ne citer que quelques exemples. J'ai néanmoins accumulé depuis des années de quoi écrire un livre uniquement sur ce sujet.

LE STORYTELLING

Commençons par la façon la plus répandue, qui consiste à raconter une histoire teintée de légende afin de mettre en avant un ingrédient, puis à orienter les consommateurs vers un produit fabriqué avec cet ingrédient. Dans le jargon marketing, on appelle ça du « storytelling ». Cette technique consiste à ajouter une dimension fictive et rassurante à une argumentation de vente en ayant recours à des métaphores, des témoignages ou encore des récits pleins de rebondissements.

Il faut reconnaître que la trame d'écriture est souvent bien réalisée, car elle fait appel aux émotions des consommateurs, qui plus est dans un domaine très parlant pour chacun d'entre nous : notre santé.
À ce propos, à chaque début d'année, ne souhaitons-nous pas à nos proches la meilleure santé possible ?

Les professionnels du marketing ont bien compris et intégré ce souhait de chacun d'entre nous...

Je vais citer un modèle à ne pas suivre : une lettre d'information qui n'hésite pas à accoler des mots forts comme « nazis » et « santé éternelle »[108].

Dans ce genre de lettres, abondamment diffusées sur Internet et via des messageries électroniques, cela commence toujours par un titre choc, tape-à-l'œil ou racoleur. Dans l'exemplaire reçu en septembre 2021, ce titre était « Les SS à la poursuite de la santé éternelle ! » Mais elle avait aussi, par le passé, été titrée : « Auriez-vous survécu à la peste noire ? », « Connaissez-vous l'acide aminé qui cicatrise même les grands brûlés ? » ou encore « Boire du vin rouge : la solution contre le cancer du poumon ? ».

En guise d'introduction, différents éléments sont apportés aux lecteurs pour essayer d'asseoir l'article d'un point de vue scientifique. Il peut s'agir de la mention d'un éminent chercheur ou médecin, de travaux de recherche, de photos d'illustration ou encore de données chiffrées sur tel ou tel aspect d'une maladie.

Dans cette lettre, il était mentionné qu'*« en 1933, Himmler envoie une équipe de scientifiques SS... au Tibet ! Elle est menée par Ernst Shäfer, un zoologue et botaniste de renommée internationale. »*
À ce stade, viennent les éléments romancés, à même de faire rêver/espérer/douter/s'interroger les lecteurs.
« Après plusieurs expéditions, ils accumulent une collection de milliers de spécimens dont... une mystérieuse substance qui donne une vigueur extraordinaire aux Sherpas. » « Le cours de la guerre aurait-il changé si les nazis avaient utilisé à bon escient cette fantastique découverte ? »

Dans leur grande bonté, les auteurs de ces lettres vous invitent généralement à partager avec eux ce secret ou ce mystère. De façon tout à fait curieuse (et tout aussi énervante, il faut le dire), vous ne savez jamais directement de quel ingrédient, plante ou substance il est question...
Sauf à cliquer sur des liens qui renvoient soit sur des formulaires pour récupérer vos données personnelles sous couvert d'inscription, soit vers des sites partenaires qui ont payé pour récupérer des clients éventuels, appâtés par ce storytelling.
Ce qui était le cas dans cette lettre qui se terminait par : *« J'aimerais vous faire découvrir sa puissance à travers une série de dossiers GRATUITS. Pour les recevoir, c'est simple, il vous suffit de cliquer sur le lien ci-dessous »*.

Il est à noter que les mêmes thèmes ressortent à intervalles réguliers (une fois par an ou tous les deux ans), parfois avec des textes repris quasiment à l'identique, sous couvert de grande nouveauté ou d'épisode *« inédit »*, ce qui est bien évidemment mensonger.

LE "MARKETING DE LA PEUR"

La crise sanitaire, qui tient le monde en haleine depuis deux ans, a vu ce type de marketing se mettre en œuvre à très grande échelle.

En général, la peur fait vendre, car elle fait appel à nos émotions et, par ce biais, elle influence nos choix. La peur rend les gens plus dociles et émousse leur sens critique. De nombreuses entités (certaines marques, ONG, associations...) l'ont bien compris et rivalisent de créativité pour instiller le doute et vous amener exactement là où elles le veulent.

L'UFC-Que Choisir (Union fédérale des consommateurs) dénonce régulièrement ces entités et met en lumière leurs agissements au détriment des consommateurs[109].

Dans tous les cas, n'hésitez pas à prendre du recul vis-à-vis de toutes vos lectures. Cherchez à croiser vos sources d'information pour vous renseigner sur le sujet. Intéressez-vous à des articles ou à des journaux qui mettent en avant des solutions ou qui parlent d'optimisme plutôt que de choses négatives, voire morbides. Et surtout, ne perdez jamais votre sens critique face à des entités qui tentent en permanence de vous effrayer ou de jouer avec vos sentiments.

LE "MARKETING DE LA RARETÉ"

Un autre moyen, employé par certains acteurs du marché, est de faire croire aux consommateurs que le produit fonctionne tellement bien qu'il sera prochainement en rupture de stock. Le procédé consiste à organiser la rareté artificielle d'un complément alimentaire, dans sa production ou sa distribution, ou de tirer profit de sa rareté si celle-ci est réelle.

Un façonnier m'a indiqué que certains acteurs ont recours à ce type de marketing pour promouvoir un produit et encaisser des précommandes, alors que sa fabrication n'a même pas encore été lancée.

L'objectif est multiple : faire passer des prix plus élevés, relancer un produit sur un marché saturé, déclencher des achats d'impulsion ou encore provoquer un buzz autour de celui-ci.

Si vous voyez une mention sur un site internet ou dans une lettre d'information du style « Dépêchez-vous, il n'en reste quasiment plus », surtout ne vous précipitez pas !

Aucun laboratoire sérieux ne se vantera ni ne se réjouira d'être en rupture de stock. Dans la vraie vie, les ruptures sont souvent accidentelles ou subies plutôt que recherchées. En effet, dans ces situations, de nombreux consommateurs n'hésitent pas à chercher des alternatives chez les concurrents. Ce qui n'est absolument pas souhaitable pour une entreprise qui se bat au quotidien pour fidéliser ses clients.

Pousser le consommateur à l'achat en lui faisant croire que le produit n'est disponible que pour un laps de temps n'est ni plus ni moins qu'une pratique commerciale trompeuse[110].

LES PRATIQUES COMMERCIALES TROMPEUSES

En parlant de tromperie, certains acteurs peuvent tomber tout simplement dans la concurrence déloyale, en dénigrant et en faisant croire à tort aux consommateurs que les produits des concurrents contiennent des substances controversées ou encore des allergènes.

En voici deux exemples...

Les laboratoires qui pratiquent l'inverse de ce qu'ils écrivent

Si on analysait les sites internet des acteurs du marché des compléments alimentaires, les mots « transparence », « honnêteté » ou encore « confiance » seraient ceux qui ressortiraient le plus souvent. Malheureusement, dans bien des cas, ceux-là mêmes qui en usent le plus sont pris en défaut.

Ainsi, quand un laboratoire écrit que, contrairement à la plupart de ses concurrents, il *« n'aime pas vraiment les codes promo », « Comment clamer partout que votre prix est juste si vous distribuez des -20 %, -30 % partout sur le Net ? »* et que, dans le même temps, on retrouve la majeure partie de sa gamme sur Amazon à des tarifs affichés à -20 %, il devient difficile de le croire !

Dans le même genre, que penser de l'exemple ci-contre ? Ce laboratoire présente un avis élogieux d'une soi-disant cliente, assorti d'une photo de ladite cliente. Mais si vous effectuez une recherche approfondie sur Google, on vous renvoie pour ce cliché à une banque d'images mises à disposition par un photographe californien ! Il y a donc de quoi se poser des questions sur les pratiques et la sincérité de ce laboratoire...

Exemple de communication trompeuse

Ci-dessous, un avis (certifié) élogieux laissé par une cliente, appuyé par la photo de ladite cliente pour apporter une dimension humaine et chaleureuse...

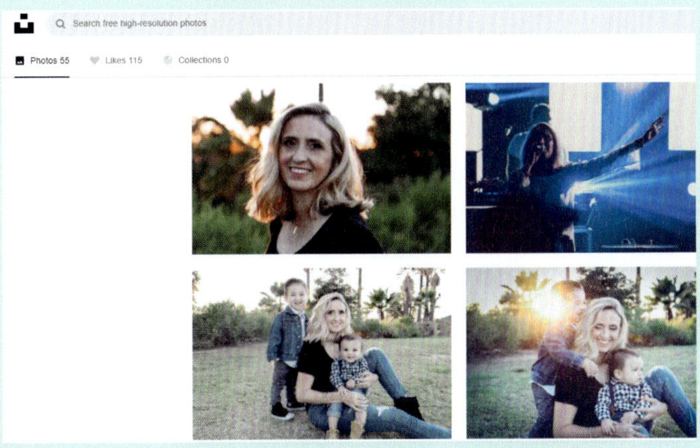

La photo originale, trouvée via Google sur Unsplash, une banque d'images libres de droits (Crédit: Edward Cisneros - @everythingcaptured).

Les produits présentés comme purs ou exempts de tout excipient

À force d'effrayer les consommateurs avec les problématiques de santé, on trouve aujourd'hui plus de compléments alimentaires « sans » que de produits « avec ». En voici une petite illustration (ci-dessous), avec la composition d'un produit trouvée sur le site internet d'un laboratoire ayant pignon sur rue.

INGRÉDIENTS :

Extrait d'harpagophytum standardisé à plus de 40 % d'harpagosides, **Fibres d'acacia.**

Gélules végétales.

- Aucun excipient (sans stéarate de magnésium).
- Naturellement sans gluten, sans caséine ni lactose, sans levure, sans maïs, sans soja, sans dioxyde de titane, sans OGM.
- Complément alimentaire garanti non irradié.
- Fabriqué en France. Sources d'approvisionnement garantissant l'identification botanique et la traçabilité des matières premières.
- Flacon en HDPE (PEHD), garanti sans PETE, sans phtalates ni bisphénol A.

Si vous comparez différents compléments, n'oubliez pas de vérifier la teneur en principes actifs.

Du point de vue du client, il est agréable d'y lire que le produit est naturellement exempt d'un tas de substances qui peuvent faire peur aux consommateurs lambda (cf. « Le marketing de la peur »). Celui-ci sera donc rassuré et plus enclin à acheter ce produit qu'un complément alimentaire similaire en composition, mais qui ne présente pas ces éléments de réassurance.

Analysons maintenant ce texte avec le regard de l'expert.

La mention « Aucun excipient » semble être liée à l'absence de stéarate de magnésium. De nombreux excipients sont présents de manière insidieuse dans les ingrédients, notamment dans les extraits de plantes. Il s'agit souvent de supports de séchage tel le dioxyde de silicium ou la maltodextrine.

Dans le cas présent, difficile de déterminer si l'ingrédient principal, un extrait d'harpagophytum, est exempt de ces excipients dans la mesure où rien n'oblige le fabricant à les mentionner – sauf s'ils ont un effet dans le produit fini, ce qui est rare.

Cette faculté d'exemption d'étiquetage est largement utilisée par les professionnels du secteur, car ces supports de séchage peuvent tout de même représenter 20 % à 60 % de la quantité totale de l'ingrédient.

En revanche, les fibres d'acacia sont utilisées ici pour compléter la gélule et peuvent donc être considérées comme un excipient.

De nombreux laboratoires détournent d'ailleurs certains ingrédients de leur usage premier afin de les utiliser pour des propriétés similaires à celles des excipients, ce qui est évidemment interdit. Nous pouvons citer en exemple la cosse de riz, qui remplace avantageusement certains anti-agglomérants, ou encore la poudre de bambou, qui se substitue au dioxyde de silicium, etc.

D'autre part, et si vous vous souvenez du chapitre sur la réglementation : il est clairement stipulé que si un complément contient un allergène, l'étiquette doit le mentionner. Donc si aucun ingrédient allergène n'est utilisé dans la fabrication d'un complément alimentaire, il est inutile de le mentionner.

Certains laboratoires ont succombé à la mode des « sans » et en abusent sans scrupule pour faire croire aux consommateurs que le produit est « pur ».

Ainsi, dans cet exemple à base d'harpagophytum, pourquoi y aurait-il de la caséine et du lactose (présents dans le lait et ses dérivés), du soja, des levures ou du gluten (présents dans certaines céréales comme le blé) ? Hormis par le biais d'une contamination croisée accidentelle, il est impossible de retrouver à l'état naturel ces substances dans un extrait végétal ! C'est comme s'il était mentionné sur un sachet de thé qu'il ne contient aucune protéine animale...

Le but de ces mentions est de rassurer faussement les consommateurs et d'instiller le doute dans leur esprit en leur laissant croire que des produits similaires de la concurrence peuvent contenir ces substances indésirables.
Ce genre de pratiques relève de la concurrence déloyale et celles-ci sont particulièrement recherchées par la DGCCRF lors de ses contrôles.

Et je fais l'impasse sur la mention utilisée du « sans dioxyde de titane » dont l'utilisation est interdite en France depuis janvier 2020 et depuis février 2022 en Europe... Encore heureux qu'il n'y en ait pas dans ce complément pris en exemple !

LE GREENWASHING

Enfin, je terminerai par un phénomène de plus en courant dans tous les domaines, qui est le « greenwashing » ou « écoblanchiment ».

Il s'agit d'une méthode de marketing qui consiste pour une entreprise à communiquer auprès du public en utilisant l'argument écologique de manière abusive et trompeuse dans le but d'améliorer son image[111].

Bien évidemment, tout le monde a intégré que l'être humain doit minimiser l'impact de ses activités sur l'environnement ainsi que sur la planète. Il convient de travailler autant que possible en circuits courts et d'éviter de recourir à des ingrédients ou à des matières qui viennent de l'autre côté de la planète. Néanmoins, dans certains cas, il n'existe pas d'alternative. C'est le cas lorsqu'il s'agit de certaines plantes qui ne poussent que dans des endroits bien précis du globe.

De plus en plus d'entreprises communiquent quasi exclusivement sur leur impact environnemental, sur la mise en place d'une politique responsabilité sociétale des entreprises (RSE) ou encore de la qualité de vie au travail (QVT) et oublient de parler de leurs produits.

Bien que ces critères importent à chacun, même à des degrés divers, n'oubliez surtout pas que vous achetez avant tout un produit de santé, pas un emballage ou une politique axée sur la durabilité.

C'est comme si un vendeur en concession automobile vous vantait les vertus d'une voiture entièrement en plastique recyclé avec son intérieur en matériaux de récupération alors que les questions qui devraient se poser en priorité sont d'ordre mécanique et de sécurité : « est-ce qu'elle roule bien ? » et « est-ce qu'elle tient bien la route et en toute sécurité » ?

À ce propos, on assiste à une communication effrénée qui débouche bien souvent sur certaines libertés prises avec la réalité. Les autorités suspectent de nombreux acteurs d'abuser de ce concept et commencent à prendre des mesures pour freiner ce « greenwashing » mensonger, qui se fait, la plupart du temps, au détriment du consommateur.

La loi 2021-1104 du 22 août 2021 fixe notamment un cadre pour la publicité des produits et services présentés comme neutres en carbone[112].

Dans le domaine des compléments alimentaires, on voit fleurir les piluliers en plastique dit « biodégradable ».

On oublie juste de dire au consommateur qu'un tel pilulier ne se décomposera que s'il est broyé, chauffé et mélangé à des substances particulières qui favoriseront sa décomposition.

Autrement dit, vous n'avez aucune chance d'assister à ce phénomène si le pilulier se retrouve dans la nature. Et quand vous parlez à des experts de ces articles de conditionnement, ils confirment qu'il n'existe à l'heure actuelle en France aucun centre spécialisé capable de procéder à cette décomposition...

De même, certains laboratoires communiquent largement sur leur utilisation de piluliers en carton recyclable. Là encore, ils oublient volontairement de préciser qu'il y a un film plastique à l'intérieur de ce pilulier en carton pour éviter la reprise d'humidité du contenu ainsi que d'éventuels transferts de molécules du carton vers les gélules et autres comprimés situés à l'intérieur.

Pour que le pilulier soit recyclé, il faut donc que le consommateur prenne le soin de séparer ce film plastique intérieur du reste du pilulier avant de le jeter dans la poubelle pour déchets recyclables.

QUELQUES IDÉES REÇUES SUR LES COMPLÉMENTS ALIMENTAIRES

Je souhaite terminer cet ouvrage par quelques exemples d'idées préconçues nourries par certains professionnels de santé et de nombreux consommateurs de compléments alimentaires. Ces exemples sont tirés de multiples échanges que j'ai eus, ils reprennent certaines affirmations malheureusement erronées mais qui ont la vie dure.

Acérola et vitamine C

Quand je me suis intéressé pour la première fois à la vitamine C, j'ai observé ce qu'il se faisait sur le marché en matière de sources naturelles et, comme tout le monde, j'en suis venu à me pencher sur l'acérola. Cette petite baie d'Amazonie est tellement associée à la vitamine C dans l'esprit des consommateurs qu'il est en effet difficile de passer à côté.
Pourtant, en discutant avec certains fournisseurs d'acérola, le discours est bien différent. Beaucoup ne font que répondre à la demande des consommateurs, en omettant la réalité de ce marché. Levons donc le voile sur l'acérola *(Malpighia glabra)*.

Cette baie qui ressemble à une cerise est originaire des Caraïbes et pousse sous un climat chaud et humide. Avec le camu-camu *(Mirciaria dubia)*, autre baie d'Amazonie, c'est l'une des sources les plus concentrées en vitamine C. Une baie fraîche d'acérola contient ainsi entre 1,5 et 4 % de vitamine C, ce qui correspond à un taux naturel de vitamine C sur la poudre sèche du fruit de l'ordre de 15 à 20 %.

Les rares articles scientifiques traitant de l'acérola[113 et 114] mentionnent plusieurs éléments importants sur cette baie :
- L'acérola contient une enzyme qui dégrade spécifiquement... la vitamine C (acide ascorbique oxydase) ;
- La quantité de vitamine C diminue très rapidement (-50 %) au cours de la maturation du fruit ;
- L'exposition au soleil du fruit entraîne une dégradation rapide (dès 4 heures) de la teneur en vitamine C, d'où la nécessité de recourir à une récolte très matinale ;
- L'acérola est un fruit naturellement acide (pH = 3,7), d'autant plus qu'il est cueilli vert.

QU'EST-CE QUE CELA IMPLIQUE POUR LES CONSOMMATEURS ?

Tout d'abord, n'espérez pas consommer une baie arrivée à maturité et bien rouge, comme vous pouvez la voir dans les publicités de certains vendeurs d'acérola. Seules les baies vertes sont utilisables pour fabriquer des produits concentrés en vitamine C.

Du fait de l'acidité de l'acérola, de nombreux fabricants ajoutent du sucre, des édulcorants, des arômes ou encore des correcteurs d'acidité pour masquer ce problème dans leurs formulations à base d'acérola.

Si vous voyez un complément alimentaire qui vante plus de 17 % de vitamine C naturelle, vous pouvez être sûr qu'il s'agit d'un ajout de vitamine C synthétique, car le fruit ne peut en contenir davantage.

Enfin, étant donné que la pulpe d'acérola apporte également une enzyme qui dégrade la vitamine C, de nombreux fabricants tentent de pallier cet inconvénient en ajoutant tout simplement de la vitamine C synthétique dans leurs formules !

Celle-ci peut se présenter sous plusieurs formes : acide L-ascorbique et ascorbate de sodium pour les plus courantes.

Afin d'illustrer mon propos, voici une capture d'écran d'un fabricant de compléments alimentaires proposant de l'acérola :

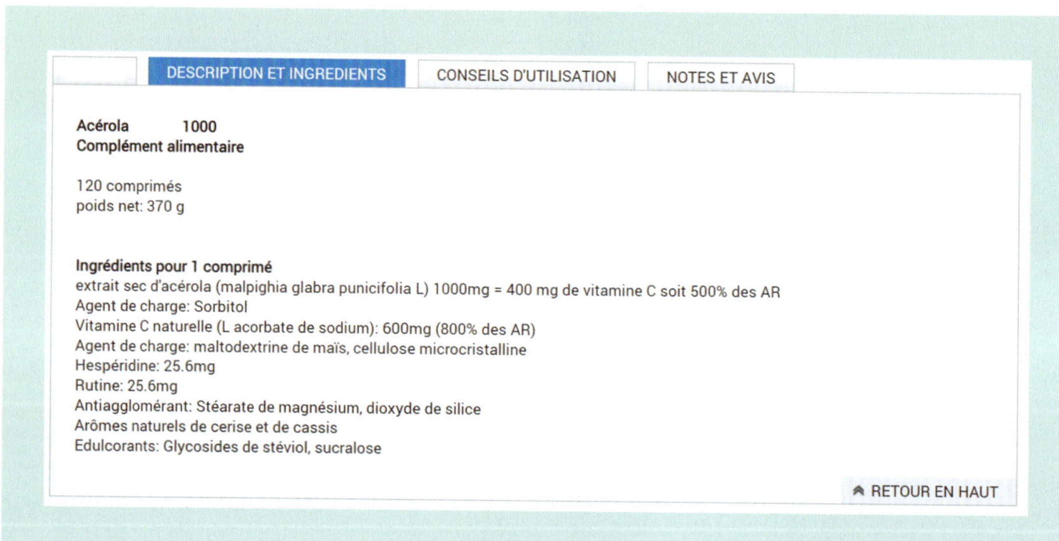
DESCRIPTION ET INGREDIENTS | CONSEILS D'UTILISATION | NOTES ET AVIS

Acérola 1000
Complément alimentaire

120 comprimés
poids net: 370 g

Ingrédients pour 1 comprimé
extrait sec d'acérola (malpighia glabra punicifolia L) 1000mg = 400 mg de vitamine C soit 500% des AR
Agent de charge: Sorbitol
Vitamine C naturelle (L acorbate de sodium): 600mg (800% des AR)
Agent de charge: maltodextrine de maïs, cellulose microcristalline
Hespéridine: 25.6mg
Rutine: 25.6mg
Antiagglomérant: Stéarate de magnésium, dioxyde de silice
Arômes naturels de cerise et de cassis
Edulcorants: Glycosides de stéviol, sucralose

RETOUR EN HAUT

On peut voir dans la composition du produit que celui-ci contient 1 g de poudre d'acérola annoncée à 400 mg de vitamine C (soit 40 % de vitamine dans l'extrait... cherchez l'erreur), du sorbitol qui est un édulcorant, des arômes et autres édulcorants et également de la vitamine C synthétique, à hauteur de 500 mg par comprimé.

On peut se demander l'intérêt d'apporter autant de vitamine C par comprimé (1000 mg), surtout si la majorité provient d'une source synthétique (mais annoncée pourtant comme naturelle).

Dans ces cas, les consommateurs peuvent légitimement se sentir floués car ils pensent acheter au prix fort une vitamine C naturelle alors qu'ils se retrouvent le plus souvent avec une vitamine C synthétique.

Cette pratique est si courante qu'elle figure dans la notice de la DGCCRF pour aider les industriels à déclarer correctement la mise sur le marché de leurs compléments alimentaires[115].

On peut ainsi lire, en page 12 de cette notice, la mention suivante : « *La quantité indiquée doit tenir compte de toutes les sources d'apport, qu'il s'agisse d'un apport direct (via une forme d'apport) ou d'un apport indirect (via une plante ou un autre ingrédient). Exemple 1 : vitamine C = acide ascorbique + vitamine C issue de l'acérola* ». Cette pratique est néanmoins autorisée dans les compléments alimentaires conventionnels et normalement interdites dans les compléments alimentaires bio. Malheureusement, sauf à recourir à une analyse spécifique et onéreuse pour rechercher la naturalité de la vitamine C dans un produit, il est très difficile de détecter une éventuelle fraude.

Le saviez-vous ?

Si vous cherchez une vitamine C naturelle, je vous conseille de vous intéresser au camu-camu[116]. Cette petite baie d'Amazonie compte parmi les fruits les plus riches en vitamine C (15 à 20 % de la masse sèche).

De plus, la baie de camu-camu contient des antioxydants et des polyphénols qui améliorent sensiblement la stabilité ainsi que l'assimilation de la vitamine C naturelle qu'elle apporte.

Enfin, la durabilité et la traçabilité de la matière première sont plus élevées que pour l'acérola, car c'est l'État péruvien qui encadre la production de cette baie, en faisant appel à des petits producteurs locaux.

Curcumine et pipérine

Le curcuma *(Curcuma longa)* est utilisé depuis des millénaires en médecine ayurvédique et dans les médecines traditionnelles asiatiques, pour traiter toute une variété d'indispositions incluant les problèmes gastro-intestinaux, les inflammations, maux de tête et autres infections et rhumes. Le curcuma est également utilisé de façon topique pour accélérer la guérison des ulcères, des blessures ainsi que des lésions consécutives à la gale ou encore à l'eczéma.

Les substances actives du curcuma représentent une famille de douze composés phénoliques, les curcuminoïdes, dont le plus caractéristique est la curcumine (70 % du total des curcuminoïdes)[117].

De nombreuses études scientifiques ont pu mettre en avant certaines propriétés intéressantes de la curcumine : puissant antioxydant, protecteur efficace contre les radicaux libres, inhibiteur de la peroxydation lipidique, amélioration des processus de cicatrisation, effet positif sur l'inflammation[118], inhibiteur de l'angiogenèse, lutte contre la prolifération et le caractère invasif de certaines cellules tumorales, facilitateur de l'apoptose des cellules cancéreuses[119], protecteur hépatique et cardiovasculaire[120].

Malheureusement, les curcuminoïdes ont à faire face à un triple défi : ils sont peu stables, peu assimilés et sont fortement métabolisés par le foie.

À pH intestinal, il ne faut que 10 minutes pour que 50 % d'une quantité de curcumine en solution aqueuse soit hydrolysée en molécules faiblement actives : la vanilline et l'acide férulique.
Lorsque, à cette réaction naturelle en milieu aqueux, s'ajoute la présence d'enzymes digestives, qui favorisent cette réaction de dégradation, on comprend mieux pourquoi la prise alimentaire de curcuma ne présente qu'un intérêt plutôt faible : les curcuminoïdes sont en effet en grande partie dégradés avant même d'avoir été absorbés au niveau de l'intestin !

Pour ne rien arranger, de nombreuses études, à la fois chez l'animal et chez l'humain, montrent que d'importantes prises orales de ce composé (plusieurs grammes) n'ont que peu d'effets sur les teneurs sanguines en curcumine.

La faute notamment à une protéine d'efflux, la P-glycoprotéine (P-GP), dont le rôle est habituellement de rejeter hors des cellules certaines substances spécifiques, comme des hormones ou encore des xénobiotiques (médicaments, contaminants). Cette P-GP est d'ailleurs respon-

sable de nombreux échecs thérapeutiques (chimiothérapie, traitement anti-VIH, immunosuppression post-greffe).

Des solutions ont été mises en place pour augmenter l'assimilation de la curcumine. La plus connue est sans conteste l'ajout de pipérine à la curcumine. Combien de fois ai-je entendu cette question : « La curcumine, c'est obligatoirement avec de la pipérine » ? Et rien n'est plus faux... Explications.

La pipérine est un alcaloïde naturel du poivre noir *(Piper nigrum)*, dont les principaux effets sont une action inhibitrice sur la P-GP ainsi qu'une action négative sur les CytP450 – dont nous avons vu précédemment l'importance pour la détoxication et la métabolisation des médicaments.

L'ajout de pipérine permet bien d'augmenter la biodisponibilité de la curcumine de façon importante. Elle n'évite cependant pas l'hydrolyse de la curcumine lors de la phase digestive.

De même, à la suite de la diminution de l'activité de la P-GP et des CytP450, certaines substances indésirables (métaux lourds, pesticides...) ou encore certaines molécules pharmaceutiques sont également plus facilement absorbées, ce qui peut poser des problèmes de sécurité (plus forte intoxication, risque de surdosage)[121]. Leur métabolisation est également ralentie, augmentant de ce fait leur durée d'action, ce qui n'est pas souhaitable[122].

La pipérine augmente également l'acidité générale, en favorisant la sécrétion d'acides gastriques[123]. Enfin, plusieurs études ont mis en évidence un effet toxique de la pipérine sur l'appareil reproducteur masculin[124].

Ainsi, certains pays de l'UE ont fixé des seuils relativement bas à ne pas dépasser pour la prise journalière de pipérine. L'Allemagne a très récemment notifié, via le portail RASFF, le retrait d'un produit à base de curcumine et de pipérine, car celui-ci apportait plus de 2 mg par jour de pipérine[125].

Pour ces différentes raisons, je pense qu'il est préférable de choisir d'autres solutions pour améliorer l'assimilation de la curcumine : utiliser un corps gras (huiles, lécithines), la curcumine étant lipophile ; opter pour des extraits concentrés en curcumine, puisque même le meilleur rhizome de curcuma ne contient pas plus de 7 % de curcuminoïdes ; ou encore rechercher préférentiellement certaines formulations naturelles de curcumine associées à des molécules facilitatrices moins problématiques que la pipérine, comme les phospholipides.

À l'heure où j'écris ces lignes, je suis mal à l'aise avec les formules liposomales liquides de curcumine qui ont fleuri sur le marché, et cela pour plusieurs raisons :
- Elles relèvent de la réglementation Novel Food (donc non autorisées).
- Elles sont généralement constituées de particules de taille nanométrique (nano-particules) pour être bien assimilées.
- Elles sont souvent acidifiées pour ne pas être à un pH favorisant la dégradation spontanée de la curcumine.
- Elles contiennent généralement un conservateur, car les formes liquides facilitent la croissance bactérienne par rapport aux formes sèches.

Le saviez-vous ?

L'intégration de curcumine concentrée dans une bicouche de phospholipides permet de la protéger vis-à-vis de l'hydrolyse à pH intestinal et des enzymes digestives. De plus, ce complexe spécifique phospholipides-curcumine permet de vectoriser de façon optimale la curcumine, en facilitant son passage au travers de la muqueuse intestinale puis des membranes cellulaires.
Enfin, cette complexation entre phospholipides et curcumine limite la métabolisation de la curcumine sans avoir aucune influence sur l'activité de la P-GP ni sur celle des cytP450.
Une association curcumine-phospholipides-antioxydant est donc un excellent moyen de bénéficier de tous les bienfaits connus du curcuma[126].

Les complexes multiminéraux

De nombreux compléments alimentaires proposent des associations de minéraux, voire des formules à base de vitamines et minéraux ou encore à base de probiotiques, vitamines et minéraux.

L'idée sous-jacente est que certains minéraux sont dépendants des autres sur le plan métabolique. Si un seul minéral ou oligo-élément vient à manquer, c'est le bon fonctionnement de l'organisme tout entier qui peut s'en trouver perturbé.

Apporter un certain nombre de ces nutriments en une seule fois permet donc de remédier à des carences éventuelles, sans chercher précisément quel minéral est en déficit. C'est un peu comme chercher à écraser une fourmi parmi d'autres avec un char... L'objectif est atteint, mais c'est probablement démesuré, surtout si les doses apportées par les compléments en question atteignent ou dépassent 100 % des apports journaliers recommandés.

Or nous avons vu précédemment les interactions et interférences que les minéraux peuvent avoir entre eux au niveau de l'absorption intestinale.

En réalité, plusieurs phénomènes peuvent apparaître avec ce type de compléments.
- Une compétition entre minéraux vis-à-vis de l'assimilation.
- Une oxydation des vitamines par certains minéraux.
- Une irritation des muqueuses par les minéraux sous forme ionisée. Cela explique que certains consommateurs ont du mal à prendre des minéraux sans ressentir une gêne gastrique ou digestive.
- Une éventuelle surcharge en minéraux, lorsqu'il existe, pour la plupart d'entre eux, des apports suffisants au travers de l'alimentation.

En matière de compétition, il a été démontré que le cuivre et le zinc sont capables d'inhiber l'assimilation du fer. Et ce dernier peut empêcher le passage du cuivre au travers de la muqueuse intestinale.
Globalement, ces phénomènes peuvent diminuer de 40 % l'absorption des minéraux[127].

En ce qui concerne les phénomènes d'oxydation, il faut avoir en tête que les vitamines existent sous deux formes : l'une oxydée et une autre réduite. Seule la forme réduite exerce une activité antioxydante, car elle seule peut neutraliser une molécule réactive néfaste en la stabilisant.

Rassurez-vous, il existe des systèmes de recyclage des vitamines lorsqu'elles sont oxydées afin que le corps puisse les réutiliser. De plus, les vitamines sont souvent en excès par rapport aux radicaux libres qu'elles sont censées neutraliser.

Mais dans certaines conditions, le recyclage peut être moins bien effectué ou les facteurs oxydants peuvent se retrouver en quantité importante.

Le fer libre, par exemple, est un élément pro-oxydant lorsqu'il est présent sous la forme ionisée.

Un apport alimentaire équilibré ne pose aucun problème à l'organisme.

Mais si vous prenez régulièrement des multiminéraux avec des dosages importants en fer, à moyen terme, vous risquez de mettre en difficulté vos systèmes de défense face à l'oxydation.

D'où l'intérêt de prendre ces compléments sous forme de cures et non en continu.

De la même façon, lorsqu'un complément alimentaire associe des minéraux et des vitamines, ces dernières auront tendance à s'oxyder dans le bol digestif au contact des sels minéraux en solution.
L'intérêt d'une telle formulation sera donc moins évident.

Pour éviter ces phénomènes, mieux vaut se tourner vers des formes chélatées de minéraux[128, 129, 130 et 131].

Biodisponibilité comparée de différentes formes de zinc

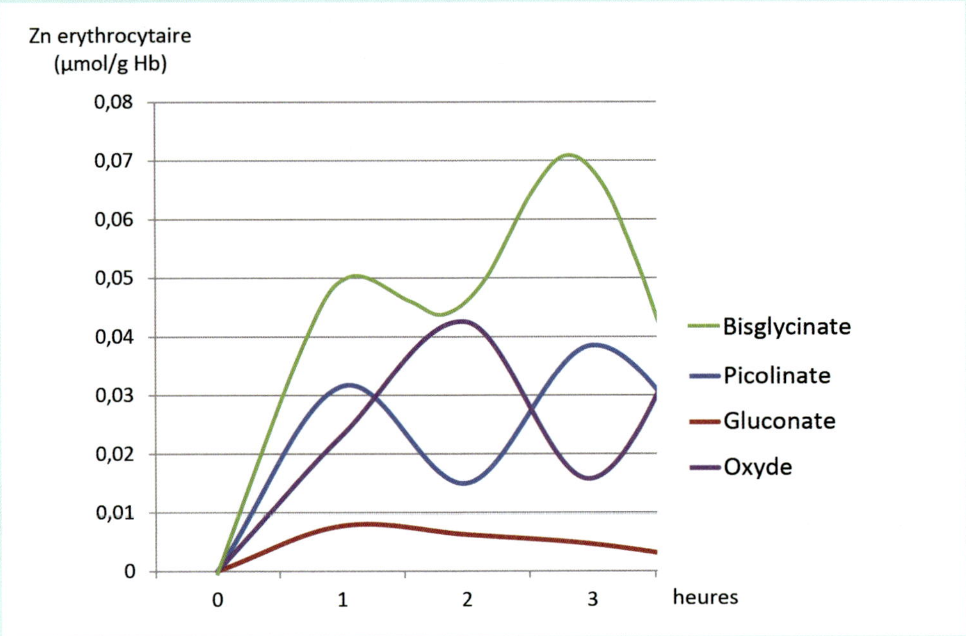

La même quantité de zinc est donnée à plusieurs groupes de volontaires et le contenu en zinc de leurs globules rouges est analysé à différents temps.

On voit que, par rapport aux formes classiques, le bisglycinate de zinc (forme chélatée) donne les meilleurs résultats en matière de supplémentation.

Source : DiSilvestro R. et al. Ohio State University. Données personnelles. 2006

La chélation consiste en l'association d'un minéral ou oligo-élément avec d'autres biomolécules, le plus souvent des acides aminés comme la glycine ou la taurine.

Les propriétés physico-chimiques intrinsèques des minéraux, associées à des procédés doux de biosynthèse, permettent l'obtention de molécules chélatées dans lesquelles le minéral est enserré entre deux biomolécules qui vont le transporter à travers la muqueuse intestinale et favoriser ainsi son assimilation.

Qui plus est, sous cette forme, le minéral n'est plus ionisé. Il est donc neutre vis-à-vis des vitamines, des probiotiques ou encore d'autres nutriments pris en association. Les membranes biologiques ne sont alors plus agressées, ce qui augmente d'autant plus le confort de prise.

Le saviez-vous ?

Quelques études ont mis en évidence que, dans les formulations associant des souches probiotiques, des vitamines et des minéraux sous forme classique, l'intégrité des souches bactériennes ainsi que la teneur en vitamines étaient grandement diminuées[132]. Ce n'est pas pour rien que les revêtements antibactériens de certains appareils électroménagers font appel aux ions Argent (Ag^{2+}), aux ions Cuivre (Cu^{2+}) ou encore aux ions Zinc (Zn^{2+}).

La glutamine

Comme aimait à le rappeler le Dr Jean Seignalet, notre intestin est un des principaux garants d'une santé optimale.

La « barrière intestinale » est une entité biologique fonctionnelle complexe dont le rôle principal est d'empêcher sélectivement le contenu de la lumière intestinale (milieu extérieur), notamment les bactéries, virus et autres éléments pathogènes ou xénobiotiques, de passer dans la circulation sanguine (milieu intérieur). Cette barrière se matérialise par une monocouche de cellules épithéliales, étroitement reliées par des jonctions spécifiques entre les cellules (jonctions serrées, adhérentes et desmosomes) ainsi que par un mucus protecteur recouvrant la surface des cellules épithéliales.

Néanmoins, cette barrière doit pouvoir laisser passer les nutriments et l'eau tout en évitant que des allergènes alimentaires, des peptides microbiens ou même des bactéries entières puissent la traverser.

Une augmentation de la perméabilité intestinale (hyperperméabilité) est soupçonnée de jouer un rôle dans plusieurs pathologies touchant l'intestin (ulcères gastroduodénaux, diarrhées infectieuses, syndrome de l'intestin irritable, maladies inflammatoires chroniques de l'intestin, maladie cœliaque) et également d'autres organes (allergies, infections respiratoires, arthrite, choc septique, obésité)[133].

Le plus souvent, le passage accru d'allergènes alimentaires ou microbiens à travers la barrière intestinale entretient des réactions inflammatoires, dont certaines peuvent conduire à l'insulino-résistance (inflammation de bas grade).

Différentes pistes ont été naturellement explorées pour réguler cette perméabilité de la muqueuse intestinale, afin de lutter contre les problématiques citées.

L'une d'entre elles consiste en une supplémentation par de la glutamine, censée être le nutriment miracle pour lutter contre l'hyperperméabilité.

À ce jour, 1230 compléments alimentaires contenant de la glutamine ont été notifiés aux autorités en France. C'est dire si le choix est vaste !

Mais lorsque j'interroge les laboratoires pour connaître les raisons d'un tel engouement, j'obtiens bien souvent la même réponse : « Tout le monde en propose, donc on fait pareil ! » (le fameux effet de mode décrit dans le chapitre sur le développement des compléments).

Revenons à la glutamine...
Il s'agit de l'acide aminé le plus abondant dans le plasma sanguin. Il est impliqué dans de très nombreuses réactions biochimiques et métaboliques. C'est l'un des substrats préférés des cellules qui se renouvellent rapidement dans notre corps, comme les cellules de l'épithélium intestinal et les cellules immunitaires.

D'un point de vue scientifique, que disent les études expérimentales dans des modèles cellulaires et chez l'animal[134] ?
- 30 % de la glutamine sont consommés au niveau de l'intestin, ce qui a pu permettre à certains de conclure que la glutamine est indispensable à la santé intestinale.
- Dans un modèle cellulaire, la carence en glutamine augmente de manière significative la perméabilité intestinale.
- La privation de glutamine dans des cellules intestinales réduit sévèrement l'expression de molécules importantes pour l'intégrité des jonctions serrées entre ces mêmes cellules.
- L'apport de glutamine à des cellules carencées en glutamine restaure le fonctionnement normal de la barrière intestinale.

De prime abord, ces résultats expérimentaux peuvent sembler concluants quant à l'action de la glutamine au niveau de l'intestin.

Malheureusement, ce qui peut apparaître très prometteur au stade expérimental l'est généralement beaucoup moins lorsqu'on passe à la pratique clinique, en testant ces compléments chez l'humain[135].
D'où la modération et l'humilité qui doivent toujours être de mise chez les scientifiques, afin d'éviter de susciter de faux espoirs chez les personnes malades et dans leur entourage.

Tout d'abord, la grande majorité des études ont été réalisées dans des modèles où l'on peut aisément retirer la glutamine (milieu de culture, diète animale).

Par notre alimentation, nous en consommons naturellement de 5 à 10 g par jour. De plus, étant donné qu'il ne s'agit pas d'un acide aminé essentiel, notre corps est capable d'en synthétiser l'équivalent de 50 à 80 g par jour. Hormis de rares cas très spécifiques (soins intensifs, maladies graves), aucune carence prolongée n'a été mise en évidence chez l'Homme au travers des études médicales. Il est donc quasiment impossible qu'une personne soit autant carencée que dans les modèles expérimentaux.

Lorsque je travaillais sur les leucémies aiguës au sein de l'Institut national de la santé et de la recherche médicale (INSERM) à Paris, nous avions très souvent

recours à la glutamine pour pouvoir faire « pousser » les cellules tumorales sur lesquelles nous conduisions nos travaux de recherche.
Pour cela, nous utilisions des milieux de culture cellulaire enrichis en glucose et en glutamine (voir ci-contre), les principaux carburants des cellules cancéreuses. Le moindre oubli de glutamine dans le milieu de culture conduisait à une prolifération fortement ralentie des cellules tumorales, compromettant ainsi nos expérimentations.

De la même façon, de très nombreux travaux de recherche en cours ont pour objectif d'identifier des moyens d'inhiber le métabolisme de la glutamine, ce qui pourrait être un potentiel outil thérapeutique de premier plan dans les futurs traitements contre le cancer[136].

La question que les consommateurs et leurs praticiens doivent légitimement se poser est la suivante : « Est-il pertinent de consommer de la glutamine, dont jusqu'à présent peu d'effets bénéfiques ont été mis en avant chez l'Homme, alors qu'il existe dans le même temps un risque potentiel de favoriser la croissance d'éventuelles cellules précancéreuses ? ».

Je connais, par exemple, des centres de médecine intégrative en Israël qui réalisent systématiquement une batterie d'analyses pour déterminer au préalable si la prise de ce type de produits est en adéquation avec le terrain de leurs patients.

Au regard des éléments présentés, il faut bien y réfléchir… Et en cas de doute, ne pas hésiter à en parler avec votre médecin.

Le saviez-vous ?

Pour les problèmes d'hyperperméabilité intestinale, les probiotiques, ou encore mieux les symbiotiques[137], semblent tout à fait intéressants, par exemple en association avec de la curcumine assimilable.
De récentes études ont montré l'action positive de souches comme *Lactobacillus fermentum* sur l'hyperperméabilité intestinale[138]. Une curcumine concentrée et assimilable peut aider en améliorant les processus de cicatrisation des muqueuses et en agissant sur la régulation de l'inflammation.

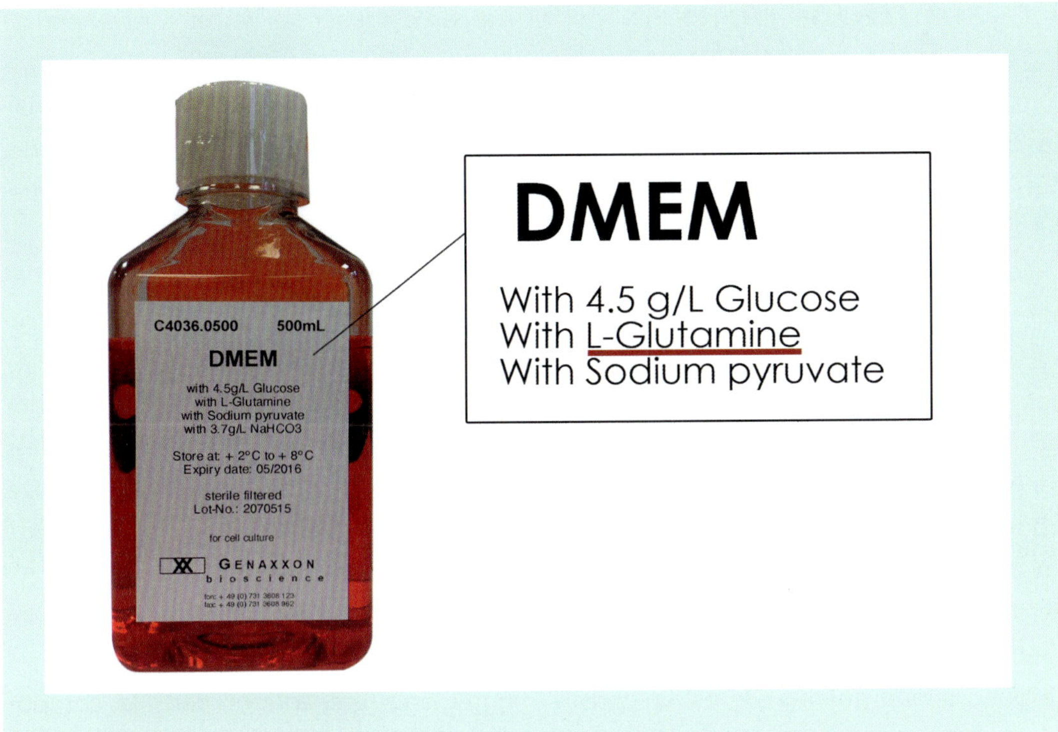

Milieu de culture cellulaire Dulbecco's Modified Eagle Medium (DMEM) utilisé pour l'apport d'éléments nutritifs nécessaires au maintien et à la prolifération de différents types de cellules *in vitro*. À noter : la présence de nutriments critiques, notamment la glutamine, pour la bonne croissance des cellules.

Source : site internet du fabricant

Les solutions pour le confort articulaire

La chondroïtine et la glucosamine sont des ingrédients bien connus pour leurs supposés effets bénéfiques sur la physiologie du cartilage, auquel ils apportent des composés d'intérêt intervenant dans son métabolisme.

La chondroïtine est une glycosaminoglycane (GAG), un composant naturel du cartilage, dont la structure est complexe : c'est un polymère naturel de longues chaînes de glucides qui portent des groupements spécifiques.
La glucosamine, quant à elle, est un constituant des glycosaminoglycanes et, à ce titre, c'est un précurseur de la chondroïtine.

Ces deux composés, de par leur rôle important dans le métabolisme des GAG, contribuent à la rétention des molécules d'eau dans la matrice du cartilage et, ainsi, à la constitution d'un gel visqueux et élastique résistant aux contraintes mécaniques.

Les données probantes sur l'efficacité de la chondroïtine sont contradictoires. Une méta-analyse reprenant celles de dix études cliniques a conclu que *« par rapport à un placebo, la prise de glucosamine, de chondroïtine, ou une combinaison des deux, ne réduit pas la douleur articulaire et n'a pas d'impact sur le rétrécissement de l'espace articulaire »*[139].
En effet, il existe une très grande variabilité dans la qualité de la chondroïtine, liée d'une part à son origine (synthétique, issue de cartilage de requin ou encore de cartilages de bœuf, veau ou de poulet) et liée, d'autre part, au procédé de fabrication employé pour la purifier.
C'est pourquoi certaines études ponctuelles ont pu mettre en évidence des effets intéressants alors que d'autres ont conclu à l'absence d'efficacité de ces produits.

Un nombre important de paramètres influence la qualité intrinsèque de ces ingrédients qui entrent dans la composition de la multitude de compléments alimentaires à visée articulaire (578 compléments ont été déclarés à ce jour en France). Seules des études sur les produits finis tels qu'ils vous sont vendus permettraient de distinguer réellement les bons compléments des mauvais.

Enfin, plusieurs éléments sont à connaître concernant ces deux composés :
- La glucosamine, tirée généralement de la carapace des crustacés, expose à des réactions allergiques. La revue *Prescrire* indique dans un numéro récent que *« Certains médicaments autorisés pour leur action supposée sur le processus aboutissant à l'arthrose sont à écarter, car*

ils n'ont pas d'efficacité démontrée au-delà de celle d'un placebo, et des effets indésirables notables ». « La glucosamine expose à des réactions allergiques (angiœdèmes, néphropathies interstitielles aiguës) et à des hépatites »[140].

- En matière de supplémentation, il semble préférable de rechercher une chondroïtine de grade pharmaceutique, car elle semble plus finement standardisée et de meilleure qualité que les grades alimentaires[141].
- Plusieurs études mettent en évidence un antagonisme de la chondroïtine et de la glucosamine. En 2010, Jackson et ses collaborateurs ont montré que la biodisponibilité de la chondroïtine sulfate était proche de zéro. De plus, selon ces auteurs, la prise simultanée de cette chondroïtine avec de la glucosamine diminuait l'absorption intestinale de la glucosamine[142].

L'ensemble de ces données expliquerait, indépendamment de la forme de chondroïtine utilisée, les faibles résultats souvent obtenus par le couple chondroïtine-glucosamine sur les articulations.

Mais alors, vers quoi se tourner ?
Nos grands-parents ne se posaient pas la question. Ils consommaient régulièrement, et probablement sans le savoir, des sources de nutriments indispensables à la fabrication et à l'entretien des cartilages : os à moelle et abats, couenne et pieds de cochon, bouillon de poule à partir de la carcasse, soupes de poisson...
À notre époque, il faut garder à l'esprit que les ingrédients d'intérêt dans ce domaine se doivent d'être assimilables et d'avoir fait la preuve de leur efficacité.

Nous pouvons donc éliminer l'acide hyaluronique ainsi que le collagène natif, qui sont de grosses molécules, mal absorbées au niveau intestinal.

Les hydrolysats de collagène ont le vent en poupe actuellement. Le marché américain est particulièrement actif quant à l'intérêt de ces substances pour la santé ostéoarticulaire.

Le collagène est un constituant de base de nos tissus. Il représente 70 % de la masse sèche des cartilages et il est très présent dans la composition des tendons (85 %), des ligaments (70 %) et de la peau (75 %).
Il en existe 28 types différents dans notre corps, qui assurent la cohésion, l'élasticité et l'entretien de tous ces tissus.

Tout comme pour la chondroïtine, il existe une grande variabilité dans les hydrolysats de collagène : selon leur origine et le procédé d'hydrolyse utilisé, vous n'obtiendrez pas deux ingrédients aux mêmes fonctionnalités.

Au niveau des sources, le collagène provient aujourd'hui majoritairement du porc, du bœuf (le dessous de la peau pour une utilisation durable) ou encore de coproduits marins (peaux et arêtes).
Le collagène porcin est souvent utilisé pour obtenir de la gélatine alimentaire bon marché. L'hydrolyse n'est pas très poussée, contrairement à celle qui est appliquée aux matières premières bovines et marines.
Ces deux dernières sources donnent des hydrolysats composés de peptides de toute petite taille, facilement assimilables par l'organisme, mais qui n'auront pas forcément les mêmes finalités : le collagène marin est plutôt intéressant dans le domaine cosmétique, alors que le collagène bovin est à privilégier dans le métabolisme du cartilage.

Les personnes allergiques aux produits de la mer s'abstiendront de prendre du collagène marin, même si l'hydrolyse a tendance à en réduire le caractère allergénique.

Une fois votre collagène choisi, il convient de vous assurer que celui-ci a bénéficié d'études afin d'en objectiver l'efficacité.

À titre d'exemple, je vous livre ci-après les résultats d'une étude réalisée sur un hydrolysat de collagène bovin[143], chez des sujets présentant des problèmes ostéoarticulaires bien installés[144].

La technique d'imagerie utilisée dans cette étude est le dGEMRIC. Il s'agit d'une méthode bien établie d'évaluation clinique de la qualité du cartilage. Étant très sensible, elle est utile pour détecter les problèmes arthrosiques à des stades précoces, auxquels le cartilage commence à perdre en qualité et à dégénérer lentement mais sûrement. L'indice dGEMRIC permet d'évaluer le contenu en GAG au niveau de l'articulation.

Dans cette étude, réalisée chez des sujets présentant une ostéoarthrose, vous pouvez remarquer (ci-contre) qu'au début de l'essai, le contenu en GAG de l'articulation est plutôt moyen (couleur jaune en majorité), tant dans le groupe placebo (PL) que dans le groupe qui va consommer l'hydrolysat de collagène (HC). C'est normal, car tous les sujets ont été recrutés sur le même critère de problématique ostéoarticulaire.
Après 48 semaines, les sujets du groupe placebo voient la situation de leur articulation évoluer négativement, avec une diminution du contenu en GAG de l'articulation (couleur rouge majoritaire).

Dans le groupe se supplémentant en hydrolysat de collagène, la situation évolue favorablement et le contenu en GAG est beaucoup plus élevé qu'au début de l'étude (couleur verte majoritaire).

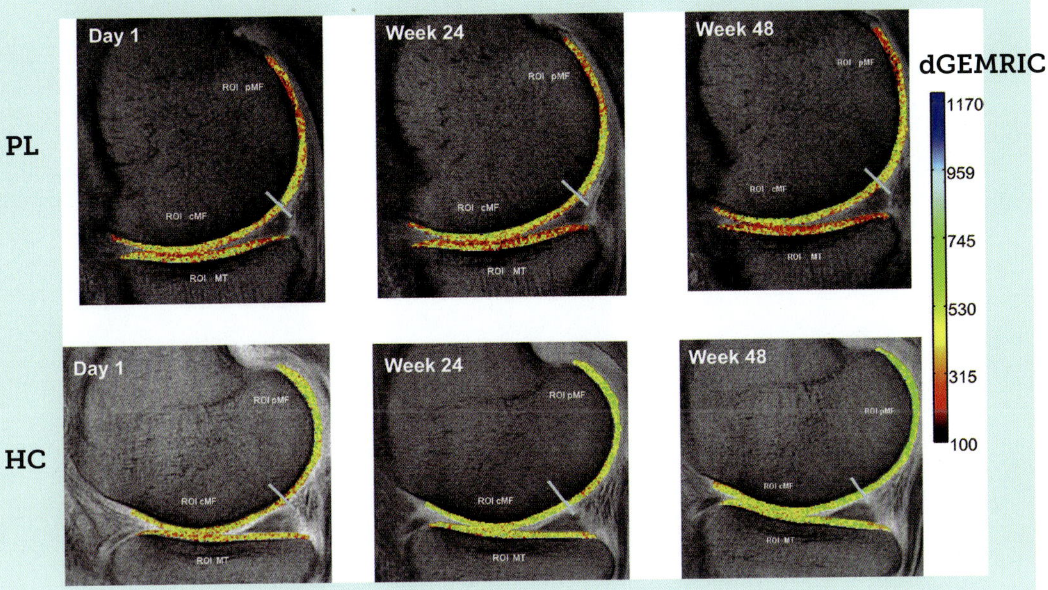

En haut : évolution au cours du temps de l'index dGEMRIC dans le groupe placebo (PL).
En bas : évolution de l'indice dGEMRIC dans le groupe consommant l'hydrolysat de collagène (HC).
Couleur verte = indice élevé (évolution positive). Couleur rouge = indice diminué (évolution péjorative).
Source : McAlindon et al. Osteoarthritis Cartilage. 2011 Apr;19(4)

Quels enseignements tirer de cette étude ? Il en existe deux principaux :

- Avec un complément alimentaire spécifique et bien adapté, il est possible de soutenir le métabolisme du cartilage et de le faire évoluer positivement.
- Cette évolution positive nécessite une supplémentation sur des temps assez longs (ici, 48 semaines). Le cartilage étant un tissu non vascularisé, il est compliqué de lui apporter les nutriments de base nécessaires à son bon renouvellement. De plus, le métabolisme des chondrocytes, cellules chargées de fabriquer toutes les briques de base de ce tissu, est naturellement assez lent. D'autant plus qu'il ralentit au fur et à mesure que nous prenons de l'âge.

Mais rien n'est définitivement figé, même lorsqu'on parle d'un cartilage « fatigué ».

Il est important de bien entretenir son capital cartilagineux : en évitant trop de contraintes mécaniques (efforts violents, chocs, poids excessifs) et en ayant de bons apports en nutriments d'intérêt (collagène hydrolysé, vitamine C, silice organique, vitamine D, oméga-3, zinc...).
Il faut également veiller à bien s'hydrater pour maintenir la viscosité de la matrice cartilagineuse à un niveau optimal.

Conclusion

Tout au long de ce livre, mon fil conducteur a été de vous donner certaines clés de compréhension de ce qu'est un complément alimentaire et de vous faire découvrir l'envers du décor de ce milieu (réglementation, fabrication, communication).

Le choix d'un bon complément alimentaire peut globalement se résumer à :
- Sélectionner une formule faisant appel à des ingrédients de haute qualité ;
- Ne pas se laisser abuser par les quantités d'actifs apportés par la formule ;
- Se renseigner sur la qualité et l'assimilation des ingrédients : privilégiez toujours des actifs hautement assimilables ;
- Exiger des produits qui ont fait l'objet d'études cliniques, afin de garantir leurs effets ;
- S'assurer que les compléments alimentaires que vous prenez bénéficient des plus hautes exigences en matière de démarche qualité (traçabilité complète, analyses réalisées, etc.).
- Fuir les trop belles promesses d'un produit, surtout s'il n'a fait l'objet d'aucune étude.

N'hésitez pas à questionner les laboratoires qui vous proposent leurs compléments alimentaires.

Soyez curieux et faites preuve d'esprit critique vis-à-vis de vos lectures, surtout lorsqu'il s'agit de votre santé ! C'est votre bien le plus précieux et elle mérite ni plus ni moins l'excellence.

Il n'y a rien de plus réjouissant que d'entendre une personne ayant bénéficié de conseils avisés témoigner qu'elle est satisfaite des produits qu'elle a pris.

J'espère que les conseils donnés au fil de l'eau vous permettront de vous poser les bonnes questions au moment de choisir vos compléments alimentaires, et de trouver votre bonheur.

« La santé est le trésor le plus précieux
et le plus facile à perdre ;
C'est cependant le plus mal gardé. »

Chauvot de Beauchêne

N.B. Si vous avez des questions ou pour tout échange à propos de ce livre, vous pouvez m'écrire à cette adresse : dr.frederic.denis.auteur@gmail.com

LEXIQUE

Adultération : pratique frauduleuse consistant en l'ajout d'un produit de moindre valeur (adultérant) à un autre produit. Ce dernier est alors vendu pour ce qu'il n'est pas. L'adultérant peut être toxique.

Allégations : mentions, images ou symboles valorisant des denrées alimentaires sur le plan nutritionnel ou de la santé. Elles sont soumises à des conditions d'emploi précises.

Démarche HACCP : méthode reposant sur l'identification des risques potentiels, l'évaluation de leur criticité et la description des mesures de maîtrise de ces risques (surveillance, actions correctives, procédures).

Édulcorant : ingrédient destiné à changer le goût d'un aliment en lui conférant une saveur sucrée. Certains édulcorants n'apportent pas de calories et ne sont pas générateurs de caries.

Effet pharmacologique : conséquence que l'absorption d'un médicament peut avoir sur l'organisme. C'est une action spécifique sur le corps, par exemple la vasodilatation. Il diffère de l'effet thérapeutique.

Étiquetage : tout texte écrit ou imprimé ou toute représentation graphique qui figure sur l'étiquette, accompagne un produit ou est placé à proximité de celui-ci pour en promouvoir la vente. Il peut s'agir d'une simple étiquette ou d'un ensemble étiquette + emballage secondaire (étui).

Façonnier : entreprise sous-traitante ou d'externalisation de la fabrication de compléments alimentaires. Le façonnier peut accompagner ses clients de la formulation d'un produit jusqu'à sa fabrication complète, avec achats des matières premières.

Fonctionnement cognitif : capacités du cerveau permettant l'interaction de l'Homme avec son environnement. Elles regroupent la perception, la concentration, l'acquisition de connaissances, le raisonnement, l'adaptation et les interactions avec autrui.

GMP : principes et lignes directrices à respecter pour la fabrication des médicaments à usage humain et vétérinaire. C'est une composante essentielle du système garantissant la qualité des médicaments.

Greenwashing : méthode marketing consistant pour une entreprise à orienter ses actions et sa communication auprès du public vers un positionnement prétendument écologique. La pratique du greenwashing est le plus souvent considérée comme trompeuse.

Homéostasie : capacité d'un organisme à maintenir l'équilibre de ses différentes constantes physiologiques et biologiques, quelles que soient les contraintes externes.

Liposomes : vésicules sphériques artificielles de quelques dizaines à quelques centaines de nanomètres de diamètre, composées d'une ou plusieurs bicouches de lipides permettant d'emprisonner des molécules à véhiculer.

Marque blanche : produit conçu par un façonnier, que d'autres acteurs du marché des compléments alimentaires reprennent à leur compte et commercialisent sous leur propre marque sans y avoir apporté la moindre plus-value.

Nanoparticules : particules artificielles infiniment petites dont le diamètre est généralement compris entre 1 et 100 nanomètres et manufacturées afin de leur donner des propriétés qui n'existent pas dans les mêmes matériaux de départ à l'échelle macro ou microscopique.

Naturalité : concept impliquant les produits les moins transformés possible et respectant au mieux l'intégrité des matières premières. La naturalité d'un produit dépend des ingrédients qui le composent (le moins d'excipients possible), mais aussi du processus de production et de transformation.

Nootropique : substance d'origine naturelle intervenant dans l'amélioration des capacités cognitives. À la différence des substances chimiques, elle ne présente pas, ou très peu, d'effets indésirables.

Objectivation : terme regroupant, dans le domaine médical, l'ensemble des techniques mises en œuvre pour constater, mesurer, quantifier un symptôme ou encore l'effet d'un produit. L'objectivation passe généralement par un examen clinique, des analyses complémentaires, et garantit la fiabilité, la validité et la reproductibilité des résultats observés.

Polyphénols : famille de molécules organiques plus ou moins complexes, largement présentes dans le règne végétal et caractérisées par l'existence d'au moins deux groupes phénoliques. Les polyphénols ont des propriétés antioxydantes très importantes, permettant de lutter notamment contre la formation de radicaux libres en excès dans l'organisme. Ils présentent une large palette de vertus et de bienfaits sur la santé humaine.

Stress oxydatif : phénomène correspondant à une agression des cellules de l'organisme par des radicaux libres. Il est causé par un déséquilibre entre les molécules toxiques prooxydantes et les systèmes de défense antioxydants. Le stress oxydatif peut être un élément déclencheur ou d'entretien de nombreuses problématiques de santé. Attention à ne pas le confondre avec le stress psychologique.

Substitution : possibilité pour un pharmacien de remplacer un complément alimentaire conseillé par un autre produit. À la différence d'un médicament, pour lequel il existe un principe de bioéquivalence entre produits d'un même groupe, la substitution d'un complément alimentaire par un autre induit souvent une grande variabilité dans les effets attendus et explique parfois l'absence de tout bénéfice.

TéléIcare : service en ligne permettant aux industriels de déclarer la commercialisation de leurs compléments alimentaires auprès de la DGCCRF. Tout consommateur a la possibilité d'y vérifier si un produit a bien été déclaré en France et d'y consulter la liste des compléments enregistrés ainsi que leurs caractéristiques (composition, conditions d'utilisation...).

UI (Unités Internationales) : quantité d'une substance biologiquement active (telle qu'une vitamine, un antibiotique, une enzyme ou une hormone) qui produit un effet biologique particulier convenu comme étant norme internationale. Ce recours à des UI permet d'assurer la cohérence entre les différents systèmes de pesées au niveau mondial et facilite la normalisation pour l'établissement des dosages des substances.

Voie sublinguale : façon d'administrer des médicaments sous la langue, jusqu'à dissolution complète, par absorption au travers de la muqueuse. Elle permet un passage direct du médicament dans la circulation sanguine, sans altération digestive et sans effet de premier passage hépatique. De plus, la vitesse d'assimilation des actifs est proche de celle d'une injection intraveineuse. La voie sublinguale diffère de la voie perlinguale, qui concerne uniquement les muqueuses du dessus de la langue et de la face interne des joues.

NOTES

1 Manger Bouger, « PNNS - Augmenter Les Fruits et Légumes », Manger Bouger, consulté le 14 février 2022.
mangerbouger.fr/l-essentiel/les-recommandations-sur-l-alimentation-l-activite-physique-et-la-sedentarite/augmenter/augmenter-les-fruits-et-legumes

2 « Les chiffres du marché en 2020 | Synadiet », consulté le 5 octobre 2021.
synadiet.org/mediatheque/les-chiffres-du-marche-en-2020

3 « Observatoire 2021 | Synadiet », consulté le 5 octobre 2021.
synadiet.org/mediatheque/observatoire-2021

4 « Compléments alimentaires et produits de santé naturels : la perception des Français a-t-elle évolué au cours de l'année ? | Synadiet », consulté le 5 octobre 2021.
synadiet.org/actualites/complements-alimentaires-et-produits-de-sante-naturels-la-perception-des-francais-t-elle

5 « Valeurs nutritionnelles de référence /Autorité européenne de sécurité des aliments », consulté le 6 octobre 2021.
efsa.europa.eu/fr/topics/topic/dietary-reference-values.

6 Anroop B. Nair et Shery Jacob, « A simple practice guide for dose conversion between animals and human », Journal of Basic and Clinical Pharmacy 7, n° 2 (mars 2016) : 27-31.
doi.org/10.4103/0976-0105.177703

7 « Règlement CE n° 178/2002 », Journal officiel n° L 031 du 01/02/2002 p. 1-24; (OPOCE), consulté le 6 octobre 2021.
eur-lex.europa.eu

8 « Directive 2002/46/CE », Journal officiel n° L 183 du 12/07/2002 p. 0051 - 0057; (OPOCE), consulté le 6 octobre 2021.
eur-lex.europa.eu

9 « Arrêté du 9 mai 2006 relatif aux nutriments pouvant être employés dans la fabrication des compléments alimentaires - Légifrance », consulté le 7 octobre 2021.
legifrance.gouv.fr/loda/id/LEGITEXT000023980839/

10 « RASFF - L-Thréonate de magnésium », consulté le 3 janvier 2022.
webgate.ec.europa.eu/rasff-window/screen/notification/522454

11 « Arrêté du 24 juin 2014 établissant la liste des plantes, autres que les champignons, autorisées dans les compléments alimentaires et les conditions de leur emploi - Légifrance », consulté le 7 octobre 2021.
legifrance.gouv.fr/loda/id/JORFTEXT000029254516/

12 « Arrêté du 26 septembre 2016 établissant la liste des substances à but nutritionnel ou physiologique autorisées dans les compléments alimentaires et les conditions de leur emploi » (s. d.), consulté le 7 octobre 2021.

13 « Règlement UE n° 2283/2015 », consulté le 7 octobre 2021.
eur-lex.europa.eu

14 « Compléments alimentaires - Huiles essentielles », consulté le 14 octobre 2021.
economie.gouv.fr/dgccrf/complements-alimentaires-huiles-essentielles

15 « Listes Synadiet Huiles Essentielles : Doses Conseillées et Précautions d'emploi | Synadiet », consulté le 14 octobre 2021.
synadiet.org/actualites/listes-synadiet-1-et-2-huiles-essentielles-doses-conseillees-et-precautions-demploi

16 « Décret n° 2006-352 du 20 mars 2006 relatif aux compléments alimentaires. », 2006-352 § (2006).

17 « Consulter une attestation - DGCCRF », consulté le 7 octobre 2021.
teleicare.dgccrf.finances.gouv.fr/Home/ConsulterAttestation

18 « Règlement CE n° 1924/2006 », consulté le 7 octobre 2021.
eur-lex.europa.eu

19 « Allégations nutritionnelles et de santé : pour une application effective de la réglementation », consulté le 28 octobre 2021.
senat.fr/rap/r20-346/r20-346_mono.html#toc0

20 « Règlement UE n° 1169/2011 », consulté le 8 octobre 2021.
eur-lex.europa.eu

21 « Nanotechnologies | Autorité européenne de sécurité des aliments », consulté le 14 octobre 2021.
efsa.europa.eu/fr/topics/topic/nanotechnology

22 « Date limite de consommation et date de durabilité minimale : ce que vous devez savoir », consulté le 14 octobre 2021.
economie.gouv.fr/dgccrf/Publications/Vie-pratique/Fiches-pratiques/Date-limite-de-consommation-DLC-et-DDM

23 « La mention Fabriqué en France ou "Made in France" », consulté le 28 octobre 2021.
economie.gouv.fr/cedef/fabrique-en-france

24 María S. García-Gutiérrez et al., « Cannabidiol: A Potential New Alternative for the Treatment of Anxiety, Depression, and Psychotic Disorders », Biomolecules 10, n° 11 (novembre 2020) : 1575.
doi.org/10.3390/biom10111575

25 Sinemyiz Atalay, Iwona Jarocka-Karpowicz, et Elzbieta Skrzydlewska, « Antioxidative and Anti-Inflammatory Properties of Cannabidiol », Antioxidants 9, n° 1 (janvier 2020) : 21.
doi.org/10.3390/antiox9010021

26 « Allégations interdites sur les produits - Amazon Seller Central », consulté le 5 novembre 2021.
sellercentral.amazon.fr/gp/help/external/6GFTJ2TEFCTKN6Q

27 « Règlement CE n° 852/2004 », consulté le 10 novembre 2021.
eur-lex.europa.eu

28 « Compléments alimentaires - Les règles d'hygiène », consulté le 10 novembre 2021.
economie.gouv.fr/dgccrf/complements-alimentaires-regles-dhygiene

29 « Fabrication, commercialisation | Synadiet », consulté le 10 novembre 2021.
synadiet.org/les-complements-alimentaires/fabrication-commercialisation

30 « Communication UE - HACCP et PRP », consulté le 10 novembre 2021.
eur-lex.europa.eu

31 « ISO 22000 - Management de la sécurité des denrées alimentaires », ISO, consulté le 18 novembre 2021.
iso.org/fr/iso-22000-food-safety-management.html

32 « ANSM - Bonnes pratiques de fabrication de médicaments à usage humain », consulté le 18 novembre 2021.
ansm.sante.fr/documents/reference/bonnes-pratiques-de-fabrication-de-medicaments-a-usage-humain

33 « USDA - What is "natural" beef? », consulté le 22 novembre 2021.
ask.usda.gov/s/article/What-is-natural-beef

34 « Note d'information n° 2009-136 - Emploi des termes "Naturel" et "100 % Nature" », consulté le 22 novembre 2021.
economie.gouv.fr/files/conseilnationalconsommation/docs/ni_terme_naturel.pdf

35 « Safety of Calcium Fructoborate as a Novel Food Pursuant to Regulation (EU) 2015/2283 | EFSA », consulté le 9 novembre 2021.
efsa.europa.eu/en/efsajournal/pub/6661

36 « Safety of Calcidiol Monohydrate Produced by Chemical Synthesis as a Novel Food Pursuant to Regulation (EU) 2015/2283 | EFSA », consulté le 11 octobre 2021.
efsa.europa.eu/en/efsajournal/pub/6660

37 « Technical Report on the Request for Technical Assistance on Orthosilicic Acid-vanillin Complex (OSA-VC) | EFSA », consulté le 9 novembre 2021.
efsa.europa.eu/en/supporting/pub/en-6838

38 « Novel food catalogue », consulté le 14 février 2022.
webgate.ec.europa.eu/fip/novel_food_catalogue/index.php

39 « Mise en garde concernant des denrées alimentaires frauduleuses aux allégations aphrodisiaques », consulté le 22 novembre 2021.
economie.gouv.fr/dgccrf/mise-en-garde-concernant-des-denrees-alimentaires-frauduleuses-aux-allegations-0

40 « Dopage et compléments alimentaires - Académie nationale de médecine », consulté le 26 novembre 2021.
academie-medecine.fr/dopage-et-complements-alimentaires/

41 « Saw Palmetto Berry Harvesting FAQ / Native Plant Harvesting Permit / Plant & Pest Permits / Plants and Nurseries / Agriculture Industry / Home - Florida Department of Agriculture & Consumer Services », consulté le 24 novembre 2021.
fdacs.gov/Agriculture-Industry/Plants-and-Nurseries/Plant-Pest-Permits/Native-Plant-Harvesting-Permit/Saw-Palmetto-Berry-Harvesting-FAQ

42 Matteo Perini et al., « Combined Use of Isotopic Fingerprint and Metabolomics Analysis for the Authentication of Saw Palmetto (Serenoa Repens) Extracts », Fitoterapia 127 (1er juin 2018) : 15-19.
doi.org/10.1016/j.fitote.2018.04.011

43 « ANSES - Avis relatif à des intoxications à la vitamine D chez des nourrissons par mésusage de compléments alimentaires », consulté le 30 novembre 2021.
anses.fr/fr/content/avis-de-lanses-relatif-%C3%A0-des-intoxications-%C3%A0-la-vitamine-d-chez-des-nourrissons-par-m%C3%A9susage

44 « Aspects thérapeutiques de la vitamine D : quels taux cibler avec quels traitements ? », Revue médicale suisse, consulté le 30 novembre 2021.
revmed.ch/revue-medicale-suisse/2012/revue-medicale-suisse-360/aspects-therapeutiques-de-la-vitamine-d-quels-taux-cibler-avec-quels-traitements

45 Heike A. Bischoff-Ferrari et al., « Monthly High-Dose Vitamin D Treatment for the Prevention of Functional Decline: A Randomized Clinical Trial », JAMA Internal Medicine 176, n° 2 (1er février 2016): 175-83. doi.org/10.1001/jamainternmed.2015.7148

46 Tilman B. Drüeke et Ziad A. Massy, « Role of vitamin D in vascular calcification: bad guy or good guy? », Nephrology Dialysis Transplantation 27, n° 5 (1er mai 2012): 1704-7. doi.org/10.1093/ndt/gfs046

47 Lauren A. Burt et al., « Effect of High-Dose Vitamin D Supplementation on Volumetric Bone Density and Bone Strength : A Randomized Clinical Trial », JAMA 322, n° 8 (27 août 2019) : 736-45. doi.org/10.1001/jama.2019.11889

48 Catherine Calzada et al., « Subgram daily supplementation with docosahexaenoic acid protects low-density lipoproteins from oxidation in healthy men », Atherosclerosis 208, n° 2 (février 2010): 467-72. doi.org/10.1016/j.atherosclerosis.2009.07.049

49 Saïda Mebarek et al., « Effects of increasing docosahexaenoic acid intake in human healthy volunteers on lymphocyte activation and monocyte apoptosis », The British Journal of Nutrition 101, n° 6 (mars 2009): 852-58. doi.org/10.1017/S0007114508051520

50 Nabila Belhaj et al., « Anxiolytic-Like Effect of a Salmon Phospholipopeptidic Complex Composed of Polyunsaturated Fatty Acids and Bioactive Peptides », Marine Drugs 11, n° 11 (novembre 2013): 4294-4317. doi.org/10.3390/md11114294

51 « Ciqual Table de composition nutritionnelle des aliments », consulté le 5 décembre 2021. ciqual.anses.fr

52 Pia Allegri, Antonio Mastromarino, et Piergiorgio Neri, « Management of Chronic Anterior Uveitis Relapses: Efficacy of Oral Phospholipidic Curcumin Treatment. Long-Term Follow-Up », Clinical Ophthalmology (Auckland, N.Z.) 4 (21 octobre 2010): 1201-6. doi.org/10.2147/OPTH.S13271

53 P. Tounian et J. -P. Chouraqui, « Fer et nutrition », Archives de Pédiatrie, Carence martiale, 24, n° 5, Supplément (1er mai 2017) : 5S23-31. doi.org/10.1016/S0929-693X(17)24006-8

54 G. W. Burton et al., « Human Plasma and Tissue Alpha-Tocopherol Concentrations in Response to Supplementation with Deuterated Natural and Synthetic Vitamin E », The American Journal of Clinical Nutrition 67, n° 4 (avril 1998): 669-84. doi.org/10.1093/ajcn/67.4.669

55 Hiroo Wada et al., « Redox Status of Coenzyme Q10 Is Associated with Chronological Age », Journal of the American Geriatrics Society 55, n° 7 (2007): 1141-42. doi.org/10.1111/j.1532-5415.2007.01209.x

56 Anders Kalén, Eeva-Liisa Appelkvist, et Gustav Dallner, « Age-Related Changes in the Lipid Compositions of Rat and Human Tissues », Lipids 24, n° 7 (1989): 579-84. doi.org/10.1007/BF02535072

57 Peter H. Langsjoen et Alena M. Langsjoen, « Comparison Study of Plasma Coenzyme Q10 Levels in Healthy Subjects Supplemented with Ubiquinol versus Ubiquinone », Clinical Pharmacology in Drug Development 3, n° 1 (2014): 13-17. doi.org/10.1002/cpdd.73

58 « La forme de coenzyme Q10 efficace (ubiquinol) », CoQtion 10 - Laboratoires Le Stum, consulté le 3 janvier 2022. labo-lestum.fr/excellence/co-qtion-10-4.html

59 Le Stum Michel et al., Composition nutraceutique mucoadhesive comprenant une association d'antioxydants, FR2972327B1, filed 11 mars 2011, et issued 11 août 2017. patents.google.com/patent/FR2972327B1/f.

60 Bernard Schmitt et al., « Effects of N-Acetylcysteine, Oral Glutathione (GSH) and a Novel Sublingual Form of GSH on Oxidative Stress Markers: A Comparative Crossover Study. », Redox Biology 6 (1er décembre 2015): 198-205. doi.org/10.1016/j.redox.2015.07.012

61 « La référence dans le domaine ostéo-articulaire (silice organique) », Tricatione - Laboratoires Le Stum, consulté le 21 décembre 2021. labo-lestum.fr/excellence/tricatione-11.html

62 Keith R. Martin, « Silicon: The Health Benefits of a Metalloid », Metal Ions in Life Sciences 13 (2013): 451-73. doi.org/10.1007/978-94-007-7500-8_14

63 « La forme de coenzyme Q10 efficace (ubiquinol) ».

64 « The eclectic materia medica, pharmacology and therapeutics », consulté le 27 décembre 2021. digital.cincinnatilibrary.org/digital/collection/p16998coll17/id/27754

65 « Echinacea: From Native American Pancea to Modern Phytopharmaceutical », Dr. Christopher Hobbs (blog), consulté le 27 décembre 2021. christopherhobbs.com/library/articles-on-herbs-and-health/echinacea-from-native-american-pancea-to-modern-phytopharmaceutical/

66 « Complexe végétal pour l'immunité », Immutione - Laboratoires Le Stum, consulté le 27 décembre 2021. labo-lestum.fr/excellence/immutione-48.html

67 Dominique Bonnefont-Rousselot, « Resveratrol and Cardiovascular Diseases », Nutrients 8, n° 5 (mai 2016): 250. doi.org/10.3390/nu8050250

68 David W. Kaufman et al., « Recent Patterns of Medication Use in the Ambulatory Adult Population of the United StatesThe Slone Survey », JAMA 287, n° 3 (16 janvier 2002): 337-44. doi.org/10.1001/jama.287.3.337

69 Alyssa A. Sprouse et Richard B. van Breemen, « Pharmacokinetic Interactions between Drugs and Botanical Dietary Supplements », Drug Metabolism and Disposition 44, n° 2 (1er février 2016): 162-71. doi.org/10.1124/dmd.115.066902

70 A. Bouron et E. Lorrain, « Effets cellulaires et moléculaires de l'hyperforine, un antidépresseur végétal : revue de la littérature », L'Encéphale 40, n° 2 (1er avril 2014) : 108-13. doi.org/10.1016/j.encep.2013.03.004

71 « Interactions entre médicaments et pamplemousse », Réseau français des centres régionaux de pharmacovigilance (blog), consulté le 20 décembre 2021. rfcrpv.fr/interactions-entre-medicaments-pamplemousse/

72 Christina San San Tan et Shaun Wen Huey Lee, « Warfarin and Food, Herbal or Dietary Supplement Interactions: A Systematic Review », British Journal of Clinical Pharmacology 87, n° 2 (2021): 352-74. doi.org/10.1111/bcp.14404

73 Schümann Sch, « Interactions Between Drugs and Vitamins at Advanced Age », International Journal for Vitamin and Nutrition Research 69, n° 3 (1 mai 1999): 173-78. doi.org/10.1024/0300-9831.69.3.173

74 Somayeh Nazari, Maryam Rameshrad, et Hossein Hosseinzadeh, « Toxicological Effects of Glycyrrhiza Glabra (Licorice): A Review », Phytotherapy Research 31, n° 11 (2017): 1635-50. doi.org/10.1002/ptr.5893

75 « Complexe phyto-algal détoxifiant pour le foie », Xenosulf - Laboratoires Le Stum, consulté le 20 décembre 2021. labo-lestum.fr/excellence/xenosulf-14.html

76 Gérard Ughetto et Anne Menguy, « Les Xénobiotiques - Réalités d'aujourd'hui, fléau de demain. » (Paris, 21 mai 2005).

77 Gérard Ughetto, « Résultats d'un suivi de cas mené en zone de forte intoxication environnementale », mars 2006.

78 Angelo A. Izzo et Edzard Ernst, « Interactions Between Herbal Medicines and Prescribed Drugs », Drugs 69, n° 13 (1er septembre 2009): 1777-98. doi.org/10.2165/11317010-000000000-00000

79 A. E. Spolarich et L. Andrews, « An Examination of the Bleeding Complications Associated with Herbal Supplements, Antiplatelet and Anticoagulant Medications », Journal of Dental Hygiene: JDH 81, n° 3 (2007): 67.

80 L. Henderson et al., « St John's Wort (Hypericum Perforatum): Drug Interactions and Clinical Outcomes », British Journal of Clinical Pharmacology 54, n° 4 (2002): 349-56. doi.org/10.1046/j.1365-2125.2002.01683.x

81 Wei Chen, Prabhu Balan, et David G. Popovich, « Review of Ginseng Anti-Diabetic Studies », Molecules 24, n° 24 (janvier 2019): 4501. doi.org/10.3390/molecules24244501

82 B. R. Walker et C. R. Edwards, « Licorice-Induced Hypertension and Syndromes of Apparent Mineralocorticoid Excess », Endocrinology and Metabolism Clinics of North America 23, n° 2 (juin 1994): 359-77.

83 « Produits de santé naturels: vitamines, plantes, compléments », consulté le 24 décembre 2021. passeportsante.net/portail/produits-de-sante-naturels

84 « Guide des compléments alimentaires | Fondation contre le Cancer », consulté le 24 décembre 2021. cancer.be/complementsalimentaires/20470

85 M. Nelson et J. Poulter, « Impact of Tea Drinking on Iron Status in the UK: A Review », Journal of Human Nutrition and Dietetics 17, n° 1 (2004): 43-54. doi.org/10.1046/j.1365-277X.2003.00497.x

86 José João Name, Andrea Rodrigues Vasconcelos, et Maria Cristina Valzachi Rocha Maluf, « Iron Bisglycinate Chelate and Polymaltose Iron for the Treatment of Iron Deficiency Anemia: A Pilot Randomized Trial », Current Pediatric Reviews 14, n° 4 (s. d.): 261-68.

87 O. A. Vrzhesinskaia et al., « [The effect of various levels of chitosan in rat diet on vitamins assimilation under their combined deficiency] », Voprosy Pitaniia 80, n° 4 (2011): 56-61.

88 S. S. Koide, « Chitin-Chitosan: Properties, Benefits and Risks », Nutrition Research 18, n° 6 (1er juin 1998): 1091-1101. doi.org/10.1016/S0271-5317(98)00091-8

89 « ANSES - Allergies aux pollens et compléments alimentaires », consulté le 3 janvier 2022. anses.fr/fr/content/allergies-aux-pollens-et-compl%C3%A9ments-alimentaires-l%E2%80%99anses-rappelle-les-pr%C3%A9cautions-%C3%A0-prendre

90 « ANSES - Pas de miel pour les enfants de moins d'un an », consulté le 3 janvier 2022. anses.fr/fr/content/pas-de-miel-pour-les-enfants-de-moins-d%E2%80%99un

91 Isabelle Berta-Vanrullen, Carine Saul, et Carole Thomann, « Sécurité et bénéfices des phyto-estrogènes apportés par l'alimentation », mars 2005, 440.

92 Anisha S. Malayil, Asifa K. Poothaadammal, et Arunaksharan Narayanankutty, « Natural Bioactive Compounds as Emerging Therapeutic Molecules Against Breast Cancer: Emphasis on the Role of Phytoestrogens », Current Drug Targets 22, n° 11 (2021): 1255-71. doi.org/10.2174/1389450121999201109215341

93 « ANSES - Consommation d'algues : rester vigilant sur le risque d'excès d'apport en iode », consulté le 3 janvier 2022. anses.fr/fr/content/consommation-d%E2%80%99algues-rester-vigilant-sur-le-risque-d%E2%80%99exc%C3%A8s-d%E2%80%99apport-en-iode

94 « ANSES - Compléments alimentaires à base de levure de riz rouge », consulté le 3 janvier 2022. anses.fr/fr/content/compl%C3%A9ments-alimentaires-%C3%A0-base-de-levure-de-riz-rouge-0

95 « Règlement CE n° 1925/2006 - Adjonction de vitamines, de minéraux et de certaines autres substances aux denrées alimentaires », consulté le 4 janvier 2022. eur-lex.europa.eu/legal-content/FR/TXT/HTML/?uri=CELEX:32006R1925&from=FR

96 Tiesjema B et al., « Risk Assessment of Synephrine », Report (Rijksinstituut voor Volksgezondheid en Milieu RIVM, 14 mars 2018). rivm.openrepository.com/handle/10029/621637

97 « ANSES - Complément alimentaire minceur à base de p-synéphrine », consulté le 3 janvier 2022. anses.fr/fr/content/compl%C3%A9ment-alimentaire-minceur-%C3%A0-base-de-p-syn%C3%A9phrine

98 Alan R. Kristal et al., « Baseline Selenium Status and Effects of Selenium and Vitamin E Supplementation on Prostate Cancer Risk », JNCI: Journal of the National Cancer Institute 106, n° 3 (1er mars 2014): djt456. doi.org/10.1093/jnci/djt456

99 « Arrêté du 24 juin 2014 établissant la liste des plantes, autres que les champignons, autorisées dans les compléments alimentaires et les conditions de leur emploi - Légifrance ».

100 « La Pharmacopée européenne (Ph. Eur.) 10e Édition | EDQM - Direction européenne de la qualité du médicament », consulté le 10 janvier 2022. edqm.eu/fr/Pharmacopee_Europeenne_10e_Edition#The%2010th%20Edition%20at%20a%20glance

101 « Sésame, psyllium, épices et autres produits rappelés comprenant ces ingrédients », consulté le 6 janvier 2022. economie.gouv.fr/dgccrf/sesame-psyllium-epices-et-autres-produits-rappeles-comprenant-ces-ingredients

102 « RASFF-Search », consulté le 5 janvier 2022. webgate.ec.europa.eu/rasff-window/screen/search

103 « Rappel Consommateur - Catégorie Alimentation », consulté le 6 janvier 2022.
rappel.conso.gouv.fr/categorie/1#navigation

104 « Règlement CE n° 178/2002 ».

105 « Décret n° 2010-688 du 23 juin 2010 relatif à la vigilance sur certaines denrées alimentaires », 2010-688 § (2010).

106 « ANSES - Un nouveau site de déclaration en ligne pour la nutrivigilance », consulté le 10 janvier 2022.
anses.fr/fr/content/un-nouveau-site-de-d%C3%A9claration-en-ligne-pour-la-nutrivigilance

107 Bruce S, « Santé Nature Innovation : L'enquête choc sur le système », Guide Santé (blog), 28 mars 2020.
guide-sante.io/sante-nature-innovation-enquete/

108 « Nazis et santé éternelle », CellInnov, consulté le 13 septembre 2021
view.mail1.cellinnovinfo/?qs=ecf28a77e553e2b67cc818817c02d347e4e15d556b281715a8c4333c2109f166797fe18d1df8154d8e513e3215fe5fdd1412add5dcc81392963ce8770e63991949262963f4866e524b52f7119d3c0a93

109 « Que Choisir Mensuel N° 565 - janvier 2018 - UFC Que Choisir », consulté le 19 janvier 2022.
kiosque.quechoisir.org/magazine-mensuel-quechoisir-565-janvier-2018/

110 « Pratiques commerciales trompeuses : les clés pour les reconnaître et s'en prémunir », consulté le 12 janvier 2022.
economie.gouv.fr/dgccrf/Publications/Vie-pratique/Fiches-pratiques/Pratiques-commerciales-trompeuses

111 « Greenwashing : 5 exemples des pires pratiques en la matière », Carbo (blog), 1er février 2021.
hellocarbo.com/blog/communaute/greenwashing-exemples/

112 « LOI n° 2021-1104 du 22 août 2021 portant lutte contre le dérèglement climatique et renforcement de la résilience face à ses effets (1) », 2021-1104 § (2021).

113 Lemâne Delva et Renée Goodrich Schneider, « Acerola (Malpighia emarginata DC) : Production, Postharvest Handling, Nutrition, and Biological Activity », Food Reviews International 29, n° 2 (13 mars 2013) : 107-26.
doi.org/10.1080/87559129.2012.714433

114 Anand Prakash et Revathy Baskaran, « Acerola, an untapped functional superfruit : a review on latest frontiers », Journal of Food Science and Technology 55, n° 9 (septembre 2018) : 3373-84,
doi.org/10.1007/s13197-018-3309-5

115 « DGCCRF - Notice sur la déclaration des compléments alimentaires », consulté le 30 décembre 2021.
formulaires.service-public.fr/gf/getNotice.do?cerfaNotice=51942&cerfaFormulaire=15265

116 « Vitamine C camu camu AB », Laboratoires Le Stum, consulté le 7 février 2022.
labo-lestum.fr/essentiel/vitamine-c-camu-camu-46.html

117 Raghavendhar R. Kotha et Devanand L. Luthria, « Curcumin: Biological, Pharmaceutical, Nutraceutical, and Analytical Aspects », Molecules 24, n° 16 (janvier 2019): 2930. doi.org/10.3390/molecules2416293

118 Venugopal P. Menon et Adluri Ram Sudheer, « Antioxidant and Anti-Inflammatory Properties of Curcumin », Advances in Experimental Medicine and Biology 595 (2007): 105-25. doi.org/10.1007/978-0-387-46401-5_3.

119 Antonio Giordano et Giuseppina Tommonaro, « Curcumin and Cancer », Nutrients 11, n° 10 (octobre 2019): 2376. doi.org/10.3390/nu11102376

120 M. Nazam Ansari, U. Bhandari, et K. K. Pillai, « Protective Role of Curcumin in Myocardial Oxidative Damage Induced by Isoproterenol in Rats », Human & Experimental Toxicology 26, n° 12 (décembre 2007): 933-38. doi.org/10.1177/0960327107085835

121 Hyo-Kyung Han, « The Effects of Black Pepper on the Intestinal Absorption and Hepatic Metabolism of Drugs », Expert Opinion on Drug Metabolism & Toxicology 7, n° 6 (juin 2011): 721-29. doi.org/10.1517/17425255.2011.570332

122 Rainer Ziegenhagen et al., « Safety Aspects of the Use of Isolated Piperine Ingested as a Bolus », Foods 10, n° 9 (septembre 2021): 2121. doi.org/10.3390/foods10092121

123 I. M. Ononiwu, C. E. Ibeneme, et O. O. Ebong, « Effects of Piperine on Gastric Acid Secretion in Albino Rats », African Journal of Medicine and Medical Sciences 31, no 4 (décembre 2002): 293-95.

124 Gopichand Chinta, Mohane Selvaraj Coumar, et Latha Periyasamy, « Reversible Testicular Toxicity of Piperine on Male Albino Rats », Pharmacognosy Magazine 13, n° Suppl 3 (octobre 2017) : S525-32. doi.org/10.4103/pm.pm_405_16

125 « RASFF - Piperine », consulté le 21 février 2022. webgate.ec.europa.eu/rasff-window/screen/notification/531669

126 « Curcumine assimilable et stabilisée », Curminal - Laboratoires Le Stum, consulté le 26 janvier 2022. labo-lestum.fr/excellence/curminal-5.html

127 Miguel Arredondo et al., « Inhibition of Iron and Copper Uptake by Iron, Copper and Zinc », Biological Research 39, n° 1 (2006): 95-102. doi.org/10.4067/s0716-97602006000100011

128 « Runatar », Laboratoires Le Stum, consulté le 7 février 2022. labo-lestum.fr/excellence/runatar-44.html

129 « Zinc Essentiel », Laboratoires Le Stum, consulté le 7 février 2022. labo-lestum.fr/essentiel/zinc-38.html

130 « Magnétione », Laboratoires Le Stum, consulté le 7 février 2022. labo-lestum.fr/excellence/magnetione-18.html

131 « Fer Essentiel », Laboratoires Le Stum, consulté le 7 février 2022. labo-lestum.fr/essentiel/fer-43.html

132 Mario Marchetti et al., « Comparison of the Rates of Vitamin Degradation When Mixed with Metal Sulphates or Metal Amino Acid Chelates », Journal of Food Composition and Analysis 13, n° 6 (1er décembre 2000): 875-84. doi.org/10.1006/jfca.2000.0917

133 Laurent Genser et al., « L'altération de la perméabilité intestinale : chaînon manquant entre dysbiose et inflammation au cours de l'obésité ? », médecine/sciences 32, n° 5 (1er mai 2016) : 461-69.
doi.org/10.1051/medsci/20163205012

134 Min-Hyun Kim et Hyeyoung Kim, « The Roles of Glutamine in the Intestine and Its Implication in Intestinal Diseases », International Journal of Molecular Sciences 18, n° 5 (mai 2017): 1051.doi.org/10.3390/ijms18051051

135 Najate Achamrah, Pierre Déchelotte, et Moïse Coëffier, « Glutamine and the Regulation of Intestinal Permeability: From Bench to Bedside », Current Opinion in Clinical Nutrition and Metabolic Care 20, n° 1 (janvier 2017): 86-91.
doi.org/10.1097/MCO.0000000000000339

136 Christopher T. Hensley, Ajla T. Wasti, et Ralph J. DeBerardinis, « Glutamine and Cancer: Cell Biology, Physiology, and Clinical Opportunities », The Journal of Clinical Investigation 123, n° 9 (septembre 2013): 3678-84.
doi.org/10.1172/JCI69600

137 « Ferments lactiques pour l'équilibre intestinal », Lactospectrum - Laboratoires Le Stum, consulté le 26 janvier 2022.
labo-lestum.fr/excellence/lactospectrum-8.html

138 Siv Ahrne et Marie-Louise Johansson Hagslatt, « Effect of Lactobacilli on Paracellular Permeability in the Gut », Nutrients 3, n° 1 (janvier 2011): 104-17.
doi.org/10.3390/nu3010104

139 Simon Wandel et al., « Effects of Glucosamine, Chondroitin, or Placebo in Patients with Osteoarthritis of Hip or Knee: Network Meta-Analysis », BMJ 341 (16 septembre 2010): c4675.
doi.org/10.1136/bmj.c4675

140 « Glucosamine (Flexea° ou autre) - un médicament à écarter des soins », consulté le 7 février 2022.
prescrire.org/Fr/202/1837/55958/0/PositionDetails.aspx

141 Nicola Volpi, « Quality of Different Chondroitin Sulfate Preparations in Relation to Their Therapeutic Activity », The Journal of Pharmacy and Pharmacology 61, n° 10 (octobre 2009): 1271-80.
doi.org/10.1211/jpp/61.10.0002

142 C. G. Jackson et al., « The Human Pharmacokinetics of Oral Ingestion of Glucosamine and Chondroitin Sulfate Taken Separately or in Combination », Osteoarthritis and Cartilage 18, n° 3 (1er mars 2010): 297-302.
doi.org/10.1016/j.joca.2009.10.013

143 « Hydrolysat de collagène », Laboratoires Le Stum, consulté le 7 février 2022.
labo-lestum.fr/essentiel/hydrolysat-de-collagene-31.html

144 T. E. McAlindon et al., « Change in Knee Osteoarthritis Cartilage Detected by Delayed Gadolinium Enhanced Magnetic Resonance Imaging Following Treatment with Collagen Hydrolysate: A Pilot Randomized Controlled Trial », Osteoarthritis and Cartilage 19, n° 4 (avril 2011): 399-405.
doi.org/10.1016/j.joca.2011.01.001

Crédits photographiques © Shutterstock sauf p12 : © Labo Le Stum
Direction d'édition : Thierry Lamarre - Édition : Adeline Lobut
Textes : Frédéric Denis
Correction-révision : Corinne Soubigou
Conception graphique, mise en pages, couverture : Carole Schilling Design

Éditions Massin - Publiées par
Société d'Information et de Créations
SIC - Une société de Marie Claire Album
10, bd des Frères-Voisin 92792 Issy-les-Moulineaux CEDEX 9 - France
Tél. 01 41 46 88 88 - RCS Nanterre 302 114 509
SARL au capital de 822.000 euros -

ISBN : 978-2-7072-1330-3- N° Éditeur : 38369
Imprimé par Elcograf S.p.A., Vérone, Italie - Dépôt légal : juin 2022.
Réimpression : avril 2023

PEFC
PEFC/18-32-03
Certifié PEFC
Ce produit est issu de forêts gérées durablement et de sources contrôlées
www.pefc-france.org

www.sotrendoo.com